Wegweiser

Second stage German
A BBC Radio course
to follow **Kontakte**

BOOK ONE: PROGRAMMES 1–10

Language teaching adviser:
ANTONY PECK, Language Materials
Development Unit, University of York

Exercises, grammar notes and background information:
FRANK KERSHAW and HELGA HOWARD,
Cambridgeshire College of Arts and
Technology, Cambridge

Language consultant:
FRED WAGNER, German Department,
University College,
University of London

Producer:
RODNEY MANTLE

British Broadcasting Corporation

PROGRAMMES 1–10

Wednesdays 6.30 p.m. Radio 3 (medium wave 464 m)

First broadcast 1st October 1975–
3rd December 1975.

Repeated Sundays 2.30 p.m. Radio 4 (VHF)

Broadcast 5th October 1975–
7th December 1975.

Additional programmes during the Christmas period. An LP record and a tape cassette containing identical material accompany this book and can be obtained through booksellers or direct from BBC Publications, P.O. Box 234, London, SE1 3TH.

The producer wishes to thank Heinz Motel of the Göttingen Fremdenverkehrsamt and everyone else who helped him in making the recordings.

Acknowledgment is due to the following for permission to reproduce photographs: CAMERA PRESS LTD (Z/F) page 38; DELTAPRESS page 37 (right); DEUTSCHES JUGENDHERBERGSWERK page 55 (lower); FOTO-GUTBROD page 91 (left); FOTO RUDOLPH page 52 (lower); FREMDENVERKEHRSVEREIN GÖTTINGEN pages 22 (both), 24 (lower), 31, 85 and 86 (both); H. GEHRIG page 64 (lower); W. KINZEL page 64 (upper); SIGRID NAUSE page 19; NDR page 69; PHOTO SCHUBERT page 22 (lower); POLIZEIABSCHNITT GÖTTINGEN pages 25 and 29; BRUNO SCHMIDT page 82; P-J. SCHOPPMANN page 52 (upper); MANFRED SCHWARZE page 15; STADT DUDERSTADT page 40; HANS WILDER page 18 (lower); ZEITMAGAZIN/SYLVAIN CORRODI page 37 (left). The remaining photographs were specially taken by RODNEY MANTLE.

Acknowledgment is also due to: BUNDESZENTRALE FÜR GESUNDHEITLICHE AUFKLÄRUNG for stickers on page 29 from *Aktion gegen das Rauchen am Arbeitsplatz*; Roggenbrot recipe on page 37 from *German Cooking* by Robin Howe published by ANDRE DEUTSCH LTD; SÜDDEUTSCHER RUNDFUNK for ARD symbol on page 75; Hotel information on page 61 from *Varta Führer*, leading German Guide on hotels and restaurants (edition 1975/76); ZDF for their symbol on page 75.
Television programmes on page 90 reprinted from *Hörzu*, and on page 75 from the *Süddeutsche Zeitung*.

Illustrations by David Brown.

Published to accompany a series of programmes prepared in consultation with the BBC Further Education Advisory Council.

 First published 1975
Published by the British Broadcasting Corporation, 35 Marylebone High Street, London W1M 4AA

This book is set in Monophoto 9/11 pt Univers 689

Printed in England by Chorley & Pickersgill Ltd
ISBN: 0 563 10958 0

Contents

Introduction

Wegweiser is a follow-up course to *Kontakte* and the second stage in a three-year cycle of German courses for adults. It is also suitable for anyone with a basic knowledge of German. *Wegweiser*, which means 'signpost', will help you on the way to making further contacts with German-speaking people and the German language. Like *Kontakte, Wegweiser* is based on recordings made with ordinary German people in everyday situations. The dialogues and interviews in Book 1 were recorded in and around Göttingen. *Wegweiser* teaches you how to communicate more fully in such situations, and to exchange simple information and opinions.

The Programmes

During the broadcasts you will hear the recorded dialogues and interviews. Any points of difficulty will be explained and there will be plenty of opportunity during the broadcasts to practise what you have heard. With the exception of the first programme, each broadcast will include an extended interview *(Hören und Verstehen)*, mainly for comprehension.

The Book

In the *Revision Notes* following this introduction, you can familiarise yourself with the essence of *Kontakte*. At the beginning of each chapter you will find the key structures which form the basis of the dialogues and are the main points for you to concentrate on. The second part of each chapter is the interview, *Hören und Verstehen.* The questions in English at the top of the page are meant to help you to look for the key information. The *Überblick* summarises the language points covered in each chapter and in the *Übungen* you have the opportunity to practise them. *Wissenswertes* gives you background information on aspects of Germany arising out of the dialogues. The *Glossary* at the back of the book includes the essential vocabulary which appears in the dialogues, the *Übungen* and *Wissenswertes.*
The *Hören und Verstehen* have a separate *Key.*

The Record and the Cassette

The LP record and the cassette contain identical material: the dialogues and the *Hören und Verstehen* texts printed in Book 1.

How to use the course

There are many ways of learning a foreign language. Here are a few suggestions. Prepare for the programme by listening to the record or cassette and reading through the dialogues and *Hören und Verstehen* beforehand, or if you prefer use the book and the record for further practice after the broadcast. Try to listen to both the original broadcast and the repeat. After each programme go through the *Übungen*. If you know someone else following *Wegweiser,* why not do them together?

Linked Classes

Such classes are being organised by many evening institutes. You can find out whether there is a class in your area by contacting your Local Education Authority. A list of centres running linked classes will be available by writing to:
Assistant Senior Education Officer (Further Education), BBC, Broadcasting House, London W1A 1AA.
Please enclose a stamped addressed envelope.

A voluntary test

As with *Kontakte,* you will have an opportunity of measuring your achievement by entering for a voluntary test administered by the University of Cambridge Local Examinations Syndicate. A certificate showing the level of achievement in the individual parts of the test will be awarded. If you wish to take this test and are attending a linked class, you should enter through the centre at which your class is being held; if you are following *Wegweiser* on your own, you should fill in the form overleaf and send it in complete to the centre where you wish to take the test.

The Government of the Federal Republic of Germany is offering bursaries to the six most deserving candidates who follow *Wegweiser* and take this test. The winners will be invited to visit Germany, all expenses paid.

UNIVERSITY OF CAMBRIDGE
LOCAL EXAMINATIONS SYNDICATE
IN COLLABORATION WITH
THE BRITISH BROADCASTING CORPORATION

Form BBC/W/C

WEGWEISER Achievement tests in German, March 1976
INDIVIDUAL CANDIDATE ENTRY FORM

This form, when duly completed, must be handed to the *Registrar or Secretary of the Centre where you will take the test,* together with the fees due (see below), at the latest by 12 December 1975. A list of test centres and further copies of this entry form will be available on written request from the Local Examinations Syndicate, 17 Harvey Road, Cambridge CB1 2EU by mid-November 1975. The Local Secretary of the centre will inform you where and when to attend for the test.

1 NAME (in block letters) ______________________________
(First forename followed by the initials of other forenames and by the surname)

2 TITLE (state Mr, Mrs or Miss) ______________________________

3 AGE (delete as necessary)   Under 18 / 18–29 / 30+

4 FULL POSTAL ADDRESS

____

____

____

I certify that the details given above are correct.

Signed ______________________________

Date ______________________________

____

To be completed by the Registrar:

CENTRE NUMBER	CANDIDATE NUMBER

FEES DUE	£	
Entry fee charged by the Syndicate Entry fee charged by the Centre	3	00
AMOUNT DUE		

Revision Notes

This is a summary of the language taught in *Kontakte* for active use. It does not include the language presented for comprehension only.

1 The Situations

Arriving at a hotel

How to ask if a room is available

Haben Sie ein Zimmer frei?

—and describe the room you want

Ein	Einzelzimmer, Doppelzimmer,	bitte

Mit Ohne	Bad Dusche WC

— and say how long you want the room for

Für	zwei Nächte eine Woche

If you've already booked you say

Ich habe ein Zimmer bestellt

Asking about meal times

Ab wann Bis wann	gibt es	Frühstück? Abendessen?

Finding your way about

How to attract attention

Entschuldigen Sie, bitte!

—and ask where something is

Wo ist	das Reisebüro? hier eine Bank?

Wo sind die Toiletten?

How to ask the way

Wie komme ich Wie kommen wir	nach . . .? zum . . .? zur . . .?

—and if it's far

Ist das weit?
Ist das weit von hier?

How to ask where you can do something

Wo kann ich hier Wo können wir hier	telefonieren? Geld wechseln?

—and when places are open

Wann	machen Sie macht die Bank	auf? zu?

Using public transport

How to buy a train ticket

Einmal Zweimal	erster Klasse zweiter Klasse	einfach hin und zurück	nach Köln

—and reserve a seat or couchette

Ich möchte	zwei Plätze reservieren	
	oben unten	liegen
	Raucher/Nichtraucher	

Ich fahre	am Mittwoch mit dem Intercity um 20.10 Uhr nach Berlin

How to ask about arrival and departure times

Wann	fährt der nächste Zug nach Köln? kommt der Zug in Köln an?

Travelling by bus or tram

Welcher Bus Welche Straßenbahn	fährt	nach Neuß? zum Flughafen? zur Königsallee?

Travelling by taxi

Zum Bahnhof, Zur Hauptpost, Nach Karst Jägerstraße 81,	bitte.

Shopping

How to say what you want

Ich möchte Ich möchte bitte	einen Pullover eine Bluse ein Hemd

—or ask if something is available

Haben Sie	einen Stadtplan? eine Zeitung? ein Buch von Münster? Postkarten?

How to say you do or don't like something

Der Pullover Die Bluse Das Hemd	gefällt mir	gut nicht
Die Handschuhe	gefallen mir	

Der Die Das	gefällt mir	gut nicht
Die	gefallen mir	

How to ask the price of something

Was kostet	der Pullover? die Bluse? das Hemd?
Was kosten	die Handschuhe?

—and say you'll take it

Den Die Das Die	nehme ich

Eating in a restaurant

How to ask for a table

Haben Sie einen Tisch	frei? für zwei?

How to call the waiter: Herr Ober! **—and ask for the menu**: Die Speisekarte, bitte!
or the waitress: Fräulein! **or the winelist**: Die Weinkarte, bitte!

How to order from the menu

Ich möchte bitte	einen Krabbencocktail ein Sahnesteak
Wir möchten bitte	zwei Viertel Rotwein

Asking for the bill

Die Rechnung, bitte!
Ich möchte bitte zahlen

—and leaving a tip

Danke schön, das stimmt so!

You may be asked

Wie schmeckt es Ihnen?

You might reply

Es schmeckt mir	gut nicht

Going to a theatre or concert

How to book tickets

Ich möchte zwei Karten für	das Konzert *Dantons Tod* Sonntag

—and say where you want to sit

Im	Parkett zweiten Rang Seite
In der ersten Reihe	

Booking a taxi in advance

Ich möchte ein Taxi vorbestellen

Getting things done

How to request a service

Könnten Sie bitte	den Luftdruck prüfen? meine Tasche nähen?

Könnten Sie	mir uns	mit dem Gepäck helfen? einen Aschenbecher bringen? ein Taxi bestellen?

How to say you'd like to have something done

Ich möchte	diesen Anzug diese Sachen diesen Film	reinigen entwickeln	lassen

Ich möchte mir	das Haar die Haare	schneiden waschen und legen	lassen

How to ask when things will be ready

Wann	ist der Anzug sind die Bilder	fertig?

—and when you can collect them

Wann kann ich	den Anzug die Bilder	abholen?

How to make an appointment

Ich möchte bitte	einen Termin zu Herrn Doktor

—and ask when you can come

Wann kann ich kommen?
Kann ich morgen früh kommen?

Looking for lost property

How to say you've lost something, left something behind

Ich habe	meinen Schirm meine Sonnenbrille mein Portemonnaie meine Handschuhe	verloren vergessen

How to ask if you've left something

Habe ich	ihn sie es sie	hier liegenlassen?

—and if someone has found it

Haben Sie	einen Schirm eine Sonnenbrille ein Portemonnaie ein Paar Handschuhe	gefunden?

Meeting people

How to greet people

Guten Morgen!
Guten Tag!
Guten Abend!

—and say goodbye

Auf Wiedersehen!
Tschüs!
Auf Wiederhören! (on the phone)

Introductions

Wie heißen Sie?

Ich heiße Mein Name ist	....

Offers of hospitality

Möchten Sie	Kaffee? eine Zigarette?

Ja, bitte.
Nein, danke.

Arranging to meet

Haben Sie | heute abend morgen | etwas vor?	Nein, noch nicht Leider, ja
Wollen wir | essen ins Kino | gehen?	Ja, das geht Nein, das geht leider nicht
Wo | treffen wir uns? Wann | wollen wir uns treffen?	Vor dem Kino, im Café Schucan Um 8 Uhr

Getting to know people

Exchanging personal details

Wie ist | Ihr Name? Ihre Adresse? Ihre Telefonnummer?	Meine Die Unsere | Adresse ist Bergstraße 14 Telefonnummer ist 43 58 39
Haben Sie Telefon?	Ja, ich habe Telefon Nein, ich habe kein Telefon

Exchanging information about where you live

Wie wohnen Sie?	Ich wohne Wir wohnen | in | einem Einfamilienhaus einem Bungalow einer Mietwohnung
Wieviel Miete zahlen Sie?	Ich zahle Wir zahlen | 450 DM 600 DM | Miete im Monat
Wieviele Zimmer haben Sie?	Ich habe Wir haben | drei fünf | Zimmer, Küche und Bad
Haben Sie einen | Garten? Balkon?	Ja, ich habe einen großen Garten Nein, wir haben keinen Balkon

Exchanging information about jobs

Was sind Sie von Beruf?	Ich bin | Tankwart Sekretärin
Wann fangen Sie morgens mit der Arbeit an?	Ich fange morgens um | 8 Uhr halb acht | an
Wie kommen Sie zur Arbeit?	Ich komme | mit dem Bus, mit dem Auto mit der Straßenbahn zu Fuß
Wann haben Sie Feierabend?	Ich habe | um 17 Uhr um 5 Uhr | Feierabend
Wieviel verdienen Sie?	Ich verdiene | 1600 DM im Monat 2200 DM brutto 1900 DM netto

Exchanging information about holidays and leisure

Wieviel Urlaub haben Sie?	Ich habe | 4 Wochen 23 Arbeitstage | Urlaub im Jahr
Wie lange haben | Sie Ihre Kinder | Ferien?	Ich habe Die Kinder haben | 6 Wochen Sommerferien

Was machen Sie	in Ihrer Freizeit? abends am Wochenende?	Ich	gehe laufe arbeite spiele mag	gern	ins Kino Ski im Garten Tennis Musik
Haben Sie ein Hobby?					

2 Grammar summary

Nouns

the (singular)	der	der Ausgang, der Zug
	die	die Schuhabteilung, die Straße
	das	das Restaurant, das Schampoon
the (plural)	die	die Pinguine, die Briefmarken, die Orangen
a, an	ein	ein Orangensaft (der Orangensaft)
		ein Ei (das Ei)
		eine Tasse (die Tasse)

Plurals — nouns form their plurals in various ways:

die Tasse (-n)	Zwei Tassen Tee
der Apfel (¨)	Vier Äpfel, bitte
der Wunsch (¨e)	Haben Sie sonst noch Wünsche?
der Kilometer (-)	Nur 33 Kilometer
das Hotel (-s)	Gibt es hier gute Hotels?
der Film (-e)	Ich sehe gern alte Filme
die Wohnung (-en)	Die Wohnungen hier sind sehr teuer
das Kind (-er)	Haben Sie Kinder?

this	dieser Pullover dieses Hemd diese Bluse	**which**	welcher Pullover? welches Hemd? welche Bluse?	
these	diese Schuhe		welche Schuhe?	

my	mein	Pullover Hemd	**your**	Ihr	Pullover Hemd
	meine	Bluse Schuhe		Ihre	Bluse Schuhe

den, einen, keinen, diesen, meinen, Ihren, are used with **der** words in many sentence patterns:

Ich habe Wir haben	einen Garten keinen Balkon
Ich möchte	einen Termin für nächste Woche diesen Anzug reinigen lassen
Könnten Sie mir	einen Aschenbecher bringen? diesen Hundertmarkschein wechseln?
Ich habe Haben Sie	meinen Paß verloren Ihren Schirm gefunden?

zum, zur, nach

to the airport	zum Flughafen (der Flughafen)
to the theatre	zum Theater (das Theater)
to the town centre	zur Stadtmitte (die Stadtmitte)
to Munich	nach München

You use **zum** with **der** and **das** words; **zur** with **die** words.

Pronouns

Was kostet	**der?** / **die?** / **das?**		Ich nehme	**den** / **die** / **das**	
Was kosten	**die?**		Ich nehme	**die**	
Ich habe	meinen Schirm / meine Tasche / mein Portemonnaie / meine Handschuhe	verloren	Habe ich	**ihn** / **sie** / **es** / **sie**	hier liegenlassen?
Wie sah	der Schirm / die Tasche / das Portemonnaie	aus?	**Er** / **Sie** / **Es**	ist	schwarz
Wie sahen	die Handschuhe		**Sie**	sind	

Verbs

Basic pattern:	**kommen** (to come)	**gehen** (to go)
ich	**komme**	**gehe**
er, sie, es	**kommt**	**geht**
Sie, wir, sie	**kommen**	**gehen**

Not all verbs follow completely the basic pattern:

	haben	**sein**	**nehmen**	**sehen**	**fahren**	**laufen**
ich	habe	*bin*	nehme	sehe	fahre	laufe
er, sie, es	*hat*	*ist*	*nimmt*	*sieht*	*fährt*	*läuft*
Sie, wir, sie	haben	*sind*	nehmen	sehen	fahren	laufen

These verbs follow a different pattern again:

	können	**wollen**	**müssen**	**mögen**
ich / er, sie, es	*kann*	*will*	*muß*	*mag*
Sie, wir, sie	können	wollen	müssen	mögen

Können and **mögen** also have the following forms:

ich könnte	ich möchte
Sie könnten	Sie möchten
wir könnten	wir möchten

gefallen, gehören:

Der Pullover Die Hose Das Haus	gefällt gehört	mir (nicht)	Der Die Das	gefällt gehört	mir (nicht)
Die Handschuhe	gefallen gehören	mir (nicht)	Die	gefallen gehören	mir (nicht)

— and **schmecken:**

Schmeckt es Ihnen? — Es schmeckt mir (gut) / nicht

Schmeckt Ihnen der Wein? — Der Wein schmeckt mir gut / nicht
Schmecken Ihnen die Würstchen? — Die Würstchen schmecken mir gut / nicht

Verbs in two parts:

ankommen	Wann **kommt** der Zug in Köln **an**?
aufstehen	Wann **stehen** Sie morgens **auf?**
fernsehen	Ich **sehe** gern **fern.**
zumachen	Wann **macht** die Bank **zu?**

Notice that **an, auf, fern** and **zu** are at the end of the sentences.

Talking about the past:

Ich habe ein Zimmer **bestellt.**
Ich habe meinen Schirm **verloren.**
Ich habe meine Tasche hier **liegenlassen.**
Haben Sie Ihr Portemonnaie **vergessen?**
Haben Sie ihn **gefunden?**

Notice that **bestellt, verloren,** etc. always come at the end.

Word order. Notice the position of the verbs:

Statements —

Das	**ist**	Frau Zühl.
Das Reisebüro	**ist**	in der dritten Etage.
Ich	**möchte**	ein Stück Mokkatorte.
Dann	**nehme**	ich das.

Questions —

	Ist	das der Zug nach Celle?	
	Haben	Sie einen Tisch für zwei?	
Wo	**ist**	hier der Ausgang?	
Wann	**fährt**	der nächste Zug nach Köln?	
Wieviele Tage	**arbeiten**	Sie in der Woche?	
	Muß	ich	**umsteigen?**
Wo	**kann**	ich hier Geld	**wechseln?**

With **ich könnte, ich möchte, ich muß, ich kann,** etc., the word describing the action goes to the end:

Möchten Sie die Nachrichten **sehen**?
Ich muß diese Sachen reinigen **lassen**.
Kann ich die Bluse einmal **anprobieren**?
Wann wollen Sie **kommen**?

Numbers

null	0	vierzehn	14	dreißig	30
eins	1	fünfzehn	15	einunddreißig	31
zwei (zwo)	2	sechzehn	16	usw.	
drei	3	siebzehn	17	vierzig	40
vier	4	achtzehn	18	fünfzig	50
fünf	5	neunzehn	19	sechzig	60
sechs	6	zwanzig	20	siebzig	70
sieben	7			achtzig	80
acht	8	Notice the inversion in these numbers		neunzig	90
neun	9			hundert	100
zehn	10	einundzwanzig	21	zweihundert	200
elf	11	zweiundzwanzig	22	usw.	
zwölf	12	dreiundzwanzig	23	tausend	1 000
dreizehn	13	neunundzwanzig	29	usw.	

Days, dates and months of the year

am für	Montag Dienstag Mittwoch Donnerstag Freitag Samstag (Sonnabend) Sonntag	vom	Januar Februar März April Mai Juni	bis zum	Juli August September Oktober November Dezember

am ersten, zweiten, dritten, vierten, fünften, sechsten, siebten, achten, neunten, zehnten
für den zwölften, dreizehnten, siebzehnten, zwanzigsten, einunddreißigsten

How to say the years in full:

1897	achtzehnhundertsiebenundneunzig	1936	neunzehnhundertsechsunddreißig
1907	neunzehnhundertsieben	1963	neunzehnhundertdreiundsechzig
1913	neunzehnhundertdreizehn	1975	neunzehnhundertfünfundsiebzig

ß This symbol is equivalent to **ss** and is used at the end of a word (Pa**ß**, Fu**ß**), before a consonant (hei**ß**t, Fu**ß**ball), after a long vowel (Stra**ß**e, Fü**ß**e), or vowel combination (wei**ß**, drau**ß**en). In Germany it is always used in books, newspapers, etc.

EINS 1 Wie heißen Sie?

In this chapter you will get to know some of the inhabitants of Göttingen whom you will be meeting in the first half of the course.

Alle Personen wohnen in Göttingen.

1

Unser Interviewer heißt Manfred Schwarze. Er ist fünfundzwanzig Jahre alt, verlobt, und studiert an der Universität Göttingen

Frau Schoppmann	Herr Schwarze, was sind Sie von Beruf?
Herr Schwarze	Ich bin Student.
Frau Schoppmann	Wo studieren Sie?
Herr Schwarze	Ich studiere hier in Göttingen.
Frau Schoppmann	Und woher kommen Sie?
Herr Schwarze	Ich komme aus einer Kleinstadt, etwa 150 km von Göttingen. Die Stadt heißt Vlotho. Sie liegt an der Weser.
Frau Schoppmann	Haben Sie noch Geschwister?
Herr Schwarze	Ja, ich habe noch einen Bruder.
Frau Schoppmann	Sind Sie verheiratet?
Herr Schwarze	Nein, ich bin verlobt. Wir leben zusammen in einer Wohnung.
Frau Schoppmann	Was macht Ihre Verlobte beruflich?
Herr Schwarze	Sie arbeitet in einer Apotheke.
Frau Schoppmann	Herr Schwarze, was haben Sie für Hobbies?
Herr Schwarze	Ich spiele gern Schach. Mein zweites Hobby ist das Schmalfilmen.

sie liegt an der Weser	it lies on the Weser (a river in Lower Saxony)
was macht Ihre Verlobte beruflich?	what's your fiancée's job?
das Schmalfilmen	making amateur 8 mm films

2

Unsere Interviewerin heißt Beate Meinhardt. Sie unterrichtet Kinder im Lesen und Schreiben. Sie ist verheiratet und hat auch selbst vier Kinder

Herr Schwarze	Wie heißen Sie bitte?
Frau Meinhardt	Beate Meinhardt.
Herr Schwarze	Wie alt sind Sie bitte, Frau Meinhardt?
Frau Meinhardt	Fünfundvierzig.
Herr Schwarze	Haben Sie Kinder?
Frau Meinhardt	Ja, vier Kinder habe ich. Der Älteste heißt Joachim. Er ist siebzehn Jahre. Dann kommt eine Tochter, Cornelia, fünfzehn Jahre, dann kommt Gabriel mit zwölf Jahren und die Jüngste ist neun Jahre, das ist Christiane.
Herr Schwarze	Sind Sie berufstätig, Frau Meinhardt?
Frau Meinhardt	Ich bin Legasthenietherapeutin.

Herr Schwarze Wie bitte? Was bedeutet das denn?

Frau Meinhardt Ja, ich unterrichte Kinder, die besondere Schwierigkeiten im Lesen und Schreiben haben.

Herr Schwarze Was machen Sie am liebsten in Ihrer Freizeit?

Frau Meinhardt Ich wandere sehr gern und ich singe gern.

wie bitte?	I beg your pardon?
was bedeutet das denn?	what on earth does that mean?
die besondere Schwierigkeiten im Lesen und Schreiben haben	who have special difficulties with reading and writing
was machen Sie am liebsten?	what do you most like doing?

3

Christiane ist die jüngste Tochter von Frau Meinhardt

Christiane Ich heiße Christiane Meinhardt. Ich wohne in Göttingen und gehe auf die Wilhelm-Busch-Schule. Ich bin neun Jahre alt, und in meiner Freizeit spiele ich mit meinen Freundinnen Dagmar und Annette.

Frau Meinhardt und Christiane

gehe auf die Wilhelm-Busch-Schule	go to the Wilhelm Busch school

(Wilhelm Busch, who grew up in Ebergötzen near Göttingen, was the creator of *Max und Moritz,* a series of stories in simple verse about two mischievous boys. The stories are still very popular today with children and adults alike.)

4

Margarete Schoppmann ist Hausfrau und sie hat immer viel zu tun

Frau Meinhardt Haben Sie Kinder, Frau Schoppmann?

Frau Schoppmann Ich habe drei Kinder: zwei Jungen und ein Mädchen. Der Älteste heißt Edgar und ist fünfzehn Jahre, dann kommt Harald, der ist vierzehn Jahre, und Susanne ist zwölf.

Frau Meinhardt Wie alt sind Sie, Frau Schoppmann?

Frau Schoppmann Ich bin siebenunddreißig Jahre alt.

Frau Meinhardt Haben Sie auch einen Beruf?

Frau Schoppmann Ich bin Hausfrau.

Frau Meinhardt Was sind Ihre Hobbies, Frau Schoppmann?

Frau Schoppmann Ich handarbeite sehr gerne: ich stricke Pullover für meine Kinder, ich nähe Kleider für meine Tochter, und ich sticke Decken und Kissen. Ich arbeite auch gerne im Garten.

Margarete Schoppmann

Frau Meinhardt Kochen Sie auch gerne?

Frau Schoppmann Ja, ich koche sehr gerne Oft machen es aber meine Kinder für mich. Die haben sehr viel Spaß am Kochen und Backen.

die haben sehr viel Spaß am Kochen und Backen	they really enjoy cooking and baking

5

Harald Schoppmann ist vierzehn Jahre alt und faulenzt gern

Harald Ich heiße Harald Schoppmann und bin am 13.1.61 geboren. Ich gehe auf das neue Gymnasium und wohne in Göttingen. Ich habe als Hobbies Basketball, Pfadfinder, Briefmarkensammeln und Modellbauen. Ich lese auch gern, aber am liebsten faulenze ich.

am liebsten faulenze ich	most of all I like lazing around

6

Herr Vollrat Dahnke arbeitet bei der Justiz und hat viele Hobbies

Herr Schwarze Wie heißen Sie bitte?

Herr Dahnke Mein Name ist Vollrat Dahnke.

Herr Schwarze Wie alt sind Sie, Herr Dahnke?

Herr Dahnke Ich bin siebenundvierzig.

Herr Schwarze Sind Sie verheiratet, Herr Dahnke?

Herr Dahnke Ja, ich bin verheiratet.

Herr Schwarze Ist Ihre Frau berufstätig?

Herr Dahnke Nein, meine Frau ist nicht berufstätig.

Herr Schwarze Haben Sie Kinder, Herr Dahnke?

Herr Dahnke Ja, ich habe einen Sohn. Er ist dreizehn Jahre alt.

Vollrat Dahnke sen.

Herr Schwarze Und wie heißt er?

Herr Dahnke Er heißt auch Vollrat.

Herr Schwarze Was machen Sie am liebsten in Ihrer Freizeit?

Herr Dahnke Ich bastele.

Herr Schwarze Und was basteln Sie?

Herr Dahnke Ich arbeite in Holz und Metall. Aus Metall habe ich einen eisernen Leuchter mit sieben Kerzen gebastelt und für die Modelleisenbahn meines Sohnes habe ich eiserne Brücken gebaut.

Herr Schwarze Und was machen Sie sonst noch in Ihrer Freizeit?

Herr Dahnke Ich helfe meiner Frau bei ihrer Rot-Kreuz Arbeit und bin in unserem Rot-Kreuz Verein Kassierer.

Herr Schwarze Machen Sie sonst noch etwas?

Herr Dahnke Ja, ich singe im Männergesangverein und bin auch im Kirchenvorstand unserer Kirche.

habe ich einen eisernen Leuchter gebastelt	I've made a wrought-iron candle holder
habe ich eiserne Brücken gebaut	I've built iron bridges

7

Frau Luise Klie ist Witwe und hat zwei Töchter

Herr Schwarze Wie heißen Sie bitte?

Frau Klie Luise Klie.

Herr Schwarze Wo wohnen Sie, Frau Klie?

Frau Klie In Göttingen.

Herr Schwarze Sind Sie verheiratet?

Frau Klie Ja. Seit zehn Jahren bin ich aber Witwe.

Herr Schwarze Haben Sie Kinder, Frau Klie?

Frau Klie Zwei Töchter habe ich. Eine davon ist mit einem Engländer verheiratet

Herr Schwarze Frau Klie, wie alt sind Sie bitte?

Frau Klie Ich bin jetzt einundachtzig geworden.

seit zehn Jahren bin ich aber Witwe	but I've been a widow for ten years now
eine davon ist mit einem Engländer verheiratet	one of them is married to an Englishman
ich bin jetzt einundachtzig geworden	I've just turned 81

8

Frau Bockemühl interviewt Herrn Dr. Hans Rocker. Er ist Arzt und spielt gern Golf

Frau Bockemühl Welchen Beruf haben Sie, Herr Rocker?

Dr. Rocker Ich bin Facharzt für Hals-, Nasen- und Ohrenkrankheiten.

Frau Bockemühl Was machen Sie in Ihrer Freizeit?

Dr. Rocker Ja, ich spiele gerne Golf und beschäftige mich mit Tonfilmen.

Frau Bockemühl Können Sie in Göttingen Golf spielen?

Dr. Rocker Ja, in Göttingen gibt es einen sehr schönen Golfplatz.

Dr. Rocker

ich beschäftige mich mit Tonfilmen	I make amateur sound films

9

Herr Heinz Motel ist Leiter des Fremdenverkehrsamtes

Frau Meinhardt Motel, ist das ein deutscher Name?

Herr Motel Nein, der Name kommt aus Böhmen und heißt "Schmetterling". Früher hat man ihn immer falsch geschrieben, aber jetzt gibt es das Wort "Motel" im Fremdenverkehr und jetzt schreiben alle Leute den Namen richtig.

Frau Meinhardt Wie alt sind Sie?

Herr Motel In zwei Monaten sechzig Jahre.

Heinz Motel

Frau Meinhardt Sind Sie verheiratet, Herr Motel?

Herr Motel Ja, ich bin verheiratet und ich habe zwei Töchter. Unsere beiden Töchter sind schon verheiratet, die eine in Berlin und die andere in Dumaguete City auf den Philippinen.

Frau Meinhardt Was sind Sie von Beruf, Herr Motel?

Herr Motel Von Beruf bin ich Leiter des Fremdenverkehrsamtes und Geschäftsführer des Fremdenverkehrsvereins Göttingen.

Frau Meinhardt Wo arbeiten Sie, Herr Motel?

Herr Motel Normalerweise im Rathaus im Fremdenverkehrsamt, aber von Zeit zu Zeit im Tourist-Office vor dem Bahnhof.

heißt "Schmetterling"	means "butterfly"
früher hat man ihn immer falsch geschrieben	people used to keep spelling it wrongly

10 *Frau Sigrid Nause arbeitet auch im Tourist-Office*

Herr Schwarze	Sind Sie verheiratet?
Frau Nause	Nein, ich bin geschieden.
Herr Schwarze	Haben Sie Kinder, Frau Nause?
Frau Nause	Nein, ich habe keine Kinder.
Herr Schwarze	Wie alt sind Sie bitte?
Frau Nause	Ich bin dreißig Jahre alt.
Herr Schwarze	Wo arbeiten Sie, Frau Nause?
Frau Nause	Ich arbeite im Tourist-Office.

Sigrid Nause

Überblick

How to ask people about themselves

Wie heißen Sie? Wie ist Ihr Name?

Ich heiße Harald Schoppmann
Mein Name ist Vollrat Dahnke
Luise Klie

Wie alt sind Sie?

Fünfunddreißig
Ich bin dreiundsechzig (Jahre alt)
Ich bin einundachtzig geworden

Sind Sie verheiratet?

Ja, ich bin verheiratet

Nein, ich bin	ledig verlobt geschieden Witwe, Witwer nicht verheiratet

Wo wohnen Sie?

Ich wohne	in Göttingen in einer Kleinstadt in Nordengland in Niedersachsen

Wie lange	**sind Sie schon verheiratet?** **wohnen Sie schon in Göttingen?**

Ich bin	seit zwei Jahren	verheiratet
Ich wohne		in Göttingen

Haben Sie Kinder?

Ja,	ich habe wir haben	ein Baby ein Kind einen Sohn eine Tochter zwei Söhne/Töchter

Nein,	ich habe wir haben	keine Kinder

Wie alt ist	**das Baby?** **Ihr Sohn?** **Ihre Tochter?**

Wie alt sind Ihre	**Söhne?** **Töchter?** **Kinder?**

Es	ist	sechs Monate	alt
Er Sie		achtzehn Jahre	

Wie heißt Ihr Sohn/Ihre Tochter?

Er heißt Harald
Sie heißt Christiane

Welchen Beruf haben Sie? Haben Sie einen Beruf? Was sind Sie von Beruf? Sind Sie berufstätig? Was machen Sie beruflich?

Ich bin	Lehrer, Lehrerin, Sekretärin, Taxifahrer, Busfahrer, Empfangsdame, Kellner, Kellnerin, Apotheker, Apothekerin, Arzt, Arztin
Ich bin	Hausfrau, Student, Studentin
Ich bin	nicht berufstätig, ich habe keinen Beruf

Was machen Sie in Ihrer Freizeit? Was haben Sie für Hobbies? Was sind Ihre Hobbies?

Meine Hobbies sind	Basketball Briefmarkensammeln Modellbauen	
Ich gehe gern	spazieren tanzen ins Kino ins Theater	
Ich	lese wandere bastele schwimme reite koche	gern
Ich spiele	Tennis Golf Schach Klavier Gitarre Fußball	

Wann sind Sie geboren?

Ich bin	am 13.1.61 am dreizehnten ersten einundsechzig am dreizehnten Januar einundsechzig am 3.4.55 am dritten vierten fünfundfünfzig am 25.12.43 am fünfundzwanzigsten Dezember dreiundvierzig	geboren

Übungen

1 Here are some details about three other Göttinger you will meet in *Wegweiser*:

Name	Kurt Heidrich	Manfred Fiedler	Peter-Jürgen Schoppmann
Alter	35	38	40
Familienstand	verheiratet	ledig	verheiratet
Namen und Alter der Kinder	Peter (14) Karin (13) Sabine (9) Ralf (8)	—	Edgar (15) Harald (14) Susanne (12)
Beruf	Kraftfahrer	Ärzteberater	Chef-Ingenieur

a) Imagine you are interviewing these people: ask the appropriate questions, e.g. Wie heißen Sie? *or* Wie ist Ihr Name?

b) Now work out what the replies of each one would be e.g. Ich heiße . . . *or* Mein Name ist . . . .

2 Go through the **Überblick** and answer the questions as they apply to you. If you are working with someone else ask each other.

3 Wann und wo sind Sie und Ihre Familie geboren?

Zum Beispiel:
Ich bin am vierten Februar neunzehnhundertvierunddreißig in Göttingen geboren.
Ich bin ....
Mein Vater ist ....
Meine Mutter ist ....
Meine Schwester ist ....
Mein Bruder ist ....
Meine Frau/Mein Mann ist ....
Ihre/Seine Schwester ist ....
Ihr/Sein Bruder ist ....
Unser Sohn ist ....
Unsere Tochter ist ....

4 Was möchten Sie an diesen Tagen tun?

Mo	3.	3.	Am Montag, dem dritten März, möchte ich Tonbandaufnahmen machen.
Di	12.	5.	.... ins Theater gehen.
Mi	17.	6.	.... Golf spielen.
Do	29.	8.	.... tanzen gehen.
Fr	2.	10.	.... den Zoo besuchen.
Sa	12.	11.	.... gern wandern.
So	22.	12.	.... gern faulenzen.

Wissenswertes

Göttingen

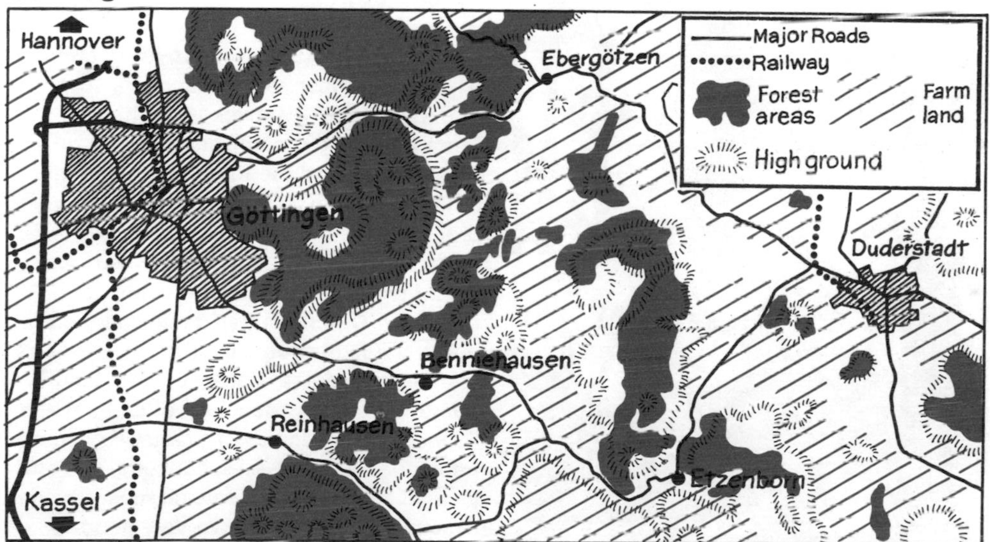

Once called 'Gutingi', Göttingen is situated in a pleasantly hilly part of northern Germany close to the border with the East. To the north-east are the Harz mountains, but the landscape in the area around the town is a mixture of forests and small farms. With a population of 128,000, Göttingen is still small enough for the surrounding countryside to be only a 15-minute bus ride from the town centre.

In the area around Göttingen a high level of German is spoken, as the local dialect has been almost entirely replaced by the standard language. Occasionally, however, reminders of the dialect crop up, particularly the pronunciation of the 'g' in words such as *Tag* and *Weg* as though it were 'ch' (as in Scottish 'loch').

above *Kurze Straße* below *Gänseliesel*

Göttingen is often thought of as a quiet, slightly romantic university town. One of the brothers Grimm did in fact teach at Göttingen University for a while and Göttingen still has a large number of half-timbered houses and a medieval town centre, but these houses are often difficult and expensive to preserve and are in many cases being replaced by modern department stores, banks and offices.

One architectural landmark in Göttingen is the 600-year-old *Rathaus*. The *Fremdenverkehrsamt* to which Herr Motel refers is located here and there is also a 'Tourist Office' at the station. The huge entrance hall in the *Rathaus* is decorated with the coats of arms of the cities of the Hanseatic League, a reminder of Göttingen's important role as a trade centre in the Middle Ages. In front of the *Rathaus* is another Göttingen landmark, the 'Gänseliesel' fountain, with its charming statue of a goose girl, traditionally kissed by every student who is awarded a doctor's degree.

Göttingen University was founded in 1734 by Georg August von Hannover (George II) and its former students include such famous men as Bismarck and Chou En-Lai. For a long time the university was scattered around the town centre in many different buildings, but now it has been brought together on a large concrete-and-glass campus in the town's northern outskirts. As a result, its direct impact on the life of Göttingen has diminished, but it is still the largest employer in the town: its administrative staff alone numbers 3,500. The town has a wide range of cultural and recreational amenities: a *Stadthalle* houses international congresses, concerts, and other local events, there are several museums and excellent libraries and two very good theatres, *das Deutsche Theater* and *das Junge Theater*. It also has a Symphony Orchestra and a well-known Boys' Choir, and the local jazz band has performed in this country as part of an active exchange programme between Göttingen and its twin town Cheltenham.

Muß das sein?

How to say what you have to do:

ich muß | um 6 Uhr aufstehen
ich muß | pünktlich um 8 Uhr dort sein

Sie müssen eine Strafe von 2 DM bezahlen

How to ask if you are allowed to do something:

darf | ich | in Ihrem Wagen rauchen?
darf | man | hier hineinfahren?

In Göttingen

1

Herr Dahnke arbeitet bei der Justiz in Göttingen

Herr Schwarze Herr Dahnke, wann müssen Sie aufstehen?
Herr Dahnke Ich muß morgens um sechs Uhr aufstehen.
Herr Schwarze Und wann müssen Sie im Büro sein?
Herr Dahnke Um halb acht Uhr.
Herr Schwarze Gibt es eine Mittagspause?
Herr Dahnke Ja, zwischen zwölf und halb zwei Uhr hat jeder eine Pause von dreißig Minuten.
Herr Schwarze Bis wann müssen Sie nachmittags arbeiten?
Herr Dahnke Bis sechzehn Uhr.
Herr Schwarze Wann sind Sie gewöhnlich zu Hause?
Herr Dahnke Um sechzehn Uhr dreißig.

2

Herr Heidrich arbeitet als Kraftfahrer bei der Stadt Göttingen

Herr Fiedler Herr Heidrich, wann müssen Sie aufstehen?
Herr Heidrich Ich muß leider schon um Viertel vor sechs aufstehen.
Herr Fiedler Wann gehen Sie von zu Hause zur Arbeit?
Herr Heidrich Mein Dienst beginnt um sieben Uhr, da muß ich um Viertel vor sieben das Haus verlassen.
Herr Fiedler Fahren Sie mit dem Auto zum Dienst?
Herr Heidrich Nein, ich gehe zu Fuß.
Herr Fiedler Gibt es eine Frühstückspause, Herr Heidrich?
Herr Heidrich Nein, ich muß bis zum Mittag durcharbeiten.
Herr Fiedler Und wie lange ist die Mittagspause?
Herr Heidrich Eine halbe Stunde.
Herr Fiedler Herr Heidrich, wie lange müssen Sie nach der Mittagspause noch arbeiten?
Herr Heidrich Ich habe um sechzehn Uhr Feierabend.
Herr Fiedler Haben Sie immer pünktlich Feierabend, Herr Heidrich?
Herr Heidrich Nein, ich muß oft in andere Städte fahren, da komme ich am späten Abend erst nach Hause.

zum Dienst	to work
ich habe um sechzehn Uhr Feierabend	I finish work at 4 p.m.
am späten Abend erst	not until late in the evening

3

Frau Meinhardt	Herr Heidrich, rauchen Sie?
Herr Heidrich	Nein, überhaupt nicht.
Frau Meinhardt	Darf man in Ihrem Auto rauchen?
Herr Heidrich	Nein, ich habe ein Schild im Auto "Rauchen verboten".
Frau Meinhardt	Respektieren Ihre Mitfahrer das Schild?
Herr Heidrich	Nicht immer.

Kurt Heidrich

Rauchen verboten	no smoking

4

Bärbel Stüker arbeitet in der Ratsapotheke

Herr Fiedler	Was sind Sie von Beruf, Fräulein Stüker?
Frl. Stüker	Ich arbeite in einer Apotheke in Göttingen.
Herr Fiedler	Wann müssen Sie aufstehen?
Frl. Stüker	Ich muß um sieben Uhr aufstehen, leider.
Herr Fiedler	Wann beginnt Ihre Arbeit?
Frl. Stüker	Um acht Uhr öffnet die Apotheke und pünktlich muß ich dort sein.
Herr Fiedler	Haben Sie auch eine Mittagspause?
Frl. Stüker	Ja, von eins bis drei Uhr.
Herr Fiedler	Und wie lange müssen Sie dann noch arbeiten?
Frl. Stüker	Im ganzen muß ich acht Stunden arbeiten, bis abends um sechs.

Ratsapotheke

im ganzen	in all

5

Polizeiobermeister Klinge bei der Arbeit

Herr Klinge	Guten Tag! Bitte geben Sie mir Ihren Führerschein.
Herr Peter	Bitte.
Herr Klinge	Danke. Herr Peter, hier ist Fußgängerzone. Hier dürfen Sie nicht fahren. Was machen Sie hier?
Herr Peter	Ich möchte zur Dresdner Bank.
Herr Klinge	Ja, das dürfen Sie nicht. Sie müssen dort vorn rechts abbiegen und die Fußgängerzone verlassen.
Herr Peter	Ja, ist gut. In Ordnung!
Herr Klinge	Sie müssen jetzt eine Strafe von 10 DM bezahlen.
Herr Peter	O, muß das sein?
Herr Klinge	Ja, das muß sein!
Herr Peter	Au! (hands over money)
Herr Klinge	Vielen Dank. Auf Wiedersehen.

in Ordnung!	OK
muß das sein?	do I have to? (lit.: does that have to be?)
ja, das muß sein	yes, you do

6 *Hauptkommissar Dierks bei der Arbeit in der Fußgängerzone*

Herr Dierks Guten Tag! Darf ich bitte Ihren Führerschein sehen?
Herr Schwarze Ja — bitte schön, hier ist er.
Herr Dierks Danke. Herr Schwarze, Sie dürfen hier nicht hineinfahren. Sie müssen dort rechts abbiegen.
Herr Schwarze Ah, das habe ich gar nicht gewußt.
Herr Dierks Nein, sehen Sie, dort stehen Verkehrszeichen. Haben Sie die nicht gesehen?
Herr Schwarze Nein, die habe ich nicht gesehen.

das habe ich nicht gewußt	I didn't know that
haben Sie die nicht gesehen?	didn't you see them?

7 *In einer Hauptverkehrsstraße*

Herr Dierks Guten Tag. Sie sind bei Rot über die Straße gegangen.
Frl. Seifert Das stimmt nicht.
Herr Dierks Doch. Das habe ich genau gesehen.
Frl. Seifert Wirklich?
Herr Dierks Ja. Dafür müssen Sie eine Strafe von 2 DM bezahlen.
Frl. Seifert O, muß ich das?
Herr Dierks Ja.

Sie sind bei Rot über die Straße gegangen	you crossed the street against a red light
das stimmt nicht	no, I didn't (lit.; that's not correct)
das habe ich genau gesehen	I saw exactly what you did
muß ich das?	do I have to?

Hören und Verstehen

Peter Dierks ist vierunddreißig Jahre alt, ledig und wohnt seit vier Jahren in Göttingen. Hier spricht er über seinen Beruf als Polizist.

How long was his training?
Which department does Herr Dierks work in?
What is the speed limit in towns and villages?
Where is one allowed to park?
How do you obtain a parking disc?
How long can one park with a parking disc?
Which film did Herr Dierks act in?

Hauptkommissar Dierks

Herr Fiedler Wie alt sind Sie, Herr Dierks?
Herr Dierks Ich bin vierunddreißig Jahre alt.
Herr Fiedler Sind Sie verheiratet?
Herr Dierks Nein, ich bin nicht verheiratet und, soviel ich weiß, habe ich auch keine Kinder.
Herr Fiedler Was sind Sie von Beruf, Herr Dierks?
Herr Dierks Ich bin Hauptkommissar bei der Polizei hier in Göttingen.
Herr Fiedler Und was machen Sie bei der Polizei?
Herr Dierks Ich habe drei Jahre die Polizeischule besucht. Dann war ich etwa zehn Jahre Streifenpolizist. Jetzt bin ich im Verkehrsdienst tätig.
Herr Fiedler Herr Dierks, was für Probleme haben Ausländer, die mit dem Auto nach Göttingen kommen?
Herr Dierks Ausländische Autofahrer haben viele Probleme, zum Beispiel fahren sie oft zu schnell. In Städten und Dörfern darf man nur 50 km in der Stunde fahren. Auf anderen Straßen 70 oder 100 km. Man muß dann immer auf die Schilder sehen.
Herr Fiedler Wo darf man dann parken?
Herr Dierks Es gibt Parkhäuser, dort muß man nach dem Parken bezahlen. Es gibt Parkplätze mit Uhren, mit Parkuhren. Es gibt aber auch Parkplätze, dort darf man nur mit einer Parkscheibe parken.
Herr Fiedler Wo bekommt man die Parkscheibe?
Herr Dierks Nun, der Autofahrer kann eine Parkscheibe im Geschäft kaufen, in einem Papiergeschäft—oder er geht zur Polizei und läßt sich dort eine geben.
Herr Fiedler Und wie lange darf man denn mit einer Parkscheibe parken, Herr Dierks?
Herr Dierks Das ist ganz verschieden. In der Innenstadt eine Stunde, am Stadtrand zwei Stunden oder auch drei Stunden.
Herr Fiedler Sind Sie gern Polizist, Herr Dierks?
Herr Dierks Ja, ich bin sehr gern Polizist, aber ich habe auch einmal einen anderen Beruf ausprobiert.
Herr Fiedler Und welchen Beruf haben Sie denn ausprobiert?
Herr Dierks Ja, ich war einmal für acht Tage Filmschauspieler—hier in der Nähe von Göttingen hat man einen Film gedreht über den großen englischen Postraub.
Herr Fiedler Welche Rolle haben Sie gespielt?
Herr Dierks Ja, und dabei bin ich englischer Polizist gewesen, ein Bobby.

You will find the Key to *Hören und Verstehen* on page 92

Überblick

How to say you have to do something:

ich muß wir müssen Sie müssen	um 6 Uhr	dort sein aufstehen

How to ask if you are allowed to do something:

darf ich darf man dürfen wir	hier	hineinfahren? parken?

How to say you are or aren't allowed to do something:

ich darf man darf wir dürfen Sie dürfen	hier (nicht)	rauchen abbiegen

Note that the verb expressing what you have to do, and are or aren't allowed to do, comes at the end of the sentence, or is sometimes entirely omitted. For example:

muß ich das?

das	darf man dürfen Sie	(nicht)

In German, *man* is widely used in the sense of 'one', 'you' or 'they' for impersonal statements and questions;

man darf hier nicht rauchen
darf man hier parken?

man muß nach dem Parken bezahlen
man hat einen Film gedreht

How to say you agree or disagree with statements of fact:

4 + 4 = 8 das stimmt
4 + 5 = 8 das stimmt nicht

Übungen

1 Verkehrszeichen. Which traffic signs mean what?

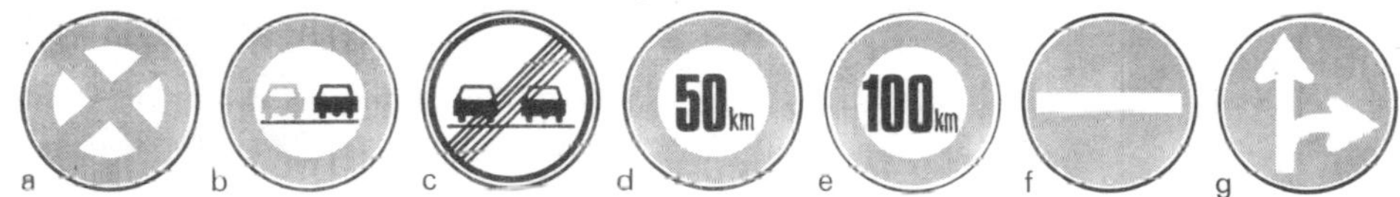

1 Hier darf man nicht hineinfahren.
2 Jetzt darf man nur 50 km in der Stunde fahren.
3 Hier darf man nicht parken.
4 Hier darf man nicht nach links abbiegen.
5 Hier darf man nicht überholen.
6 Jetzt darf man überholen.
7 Hier darf man parken.
8 Jetzt darf man 100 km in der Stunde fahren.

P
h

2 Das stimmt. Das stimmt nicht.

Confirm or deny the following statements about yourself and give the correct information where necessary:

Sie heißen Bachmann. Das stimmt nicht. Ich heiße Hildebrandt.

Sie müssen um sieben Uhr aufstehen.
Sie müssen um acht Uhr mit der Arbeit anfangen.
Sie haben um zwölf Uhr eine Mittagspause.
Sie sind Bäcker.
Sie sind verheiratet.
Sie sind zweiundfünfzig Jahre alt.
Sie haben zwei Kinder.
Sie wohnen in London.

Now give this information again about a friend. Here's how to rephrase your statements:

sie *or* er heißt   sie *or* er muß   sie *or* er hat   sie *or* er ist   sie *or* er wohnt

3 Remind yourself what you have to do next week.

Am Sonntag muß ich Karl anrufen.

Am Montag ....

....

....

....

....

....

OKTOBER		41 Woche
5	Sonntag	Karl anrufen
6	Montag	Arzt
7	Dienstag	Friseur
8	Mittwoch	Geschenk kaufen
9	Donnerstag	Beate besuchen
10	Freitag	Zahnarzt
11	Samstag	nach Frankfurt fahren

4 What did you ask the policeman?

....?
Ja, Sie dürfen hier parken.
....?
Nein, Sie dürfen hier nicht links abbiegen.
....?
Ja, Sie müssen eine Strafe bezahlen.
....?
Nein, man darf hier nicht rauchen.

5 . . . and the girl at the party?

....?
Ja, Sie dürfen mit mir tanzen.
What did you ask her after the party?
....?
Ja, Sie dürfen mich nach Hause fahren.
What did you ask her in the car?
....?
Nein, Sie dürfen nicht schneller fahren.
What did you ask her in the lay-by?
....?
Nein, Sie dürfen mich nicht küssen.

6 What did you tell your friend about your new job?

Wann müssen Sie im Büro sein?
Ich ....
Schon um 7 Uhr? Wann müssen Sie denn aufstehen?
....
Wirklich? Um 6 Uhr?
Ja, und ....
Sie müssen ohne Frühstückspause bis 13 Uhr arbeiten?
Ja, aber ....
Ah ja, Sie trinken doch um 11 Uhr eine Tasse Kaffee.
Dürfen Sie auch im Büro rauchen?
Nein, das ....
Wie lange ist denn die Mittagspause?
....
So, Sie müssen um 14 Uhr wieder da sein—und wie lange müssen Sie noch arbeiten?
....
Sie dürfen erst um 18 Uhr nach Hause gehen? Das ist kein Job, das ist eine Katastrophe!

Wissenswertes

Die Polizei

The branch of the police you will most likely encounter on a visit to the BRD is the uniformed *Schutzpolizei*, whose task it is to keep the peace and maintain public order. The policemen you will see in the street belong to the *Verkehrspolizei,* which also includes:

die Bahnpolizei	railway police
die Strom-und Schiffahrtspolizei	river and shipping police
die Luftpolizei	air police

Polizeiobermeister Klinge

Traffic and parking regulations are strictly enforced. Parking offences and speeding invite fines and a pedestrian can be fined 2–5 DM just for using a pedestrian crossing against a red light. All fines are payable on the spot.

A familiar sight are signs expressing prohibitions, for example:

Parken verboten!
Widerrechtlich abgestellte Fahrzeuge werden kostenpflichtig abgeschleppt

No Parking
Vehicles parked illegally will be towed away at owner's expense

Betreten der Baustelle verboten!

Building site
No entry

Rauchen streng verboten

Absolutely no smoking

In cinemas, theatres and some other public places smoking is not allowed, but the strict rule of prohibition is giving way to the gentler art of persuasion. The Federal Department of Health has encouraged an anti-smoking campaign at work, and has produced for distribution signs like these:

Anti-pollutionist at work

I'm trying to give up smoking. Please don't tempt me

In many taxis the message is even clearer, for their drivers stick this sign to the window or the dashboard:

DREI 3 Lieber Zwetschgenkuchen

How to say what you prefer:

ich möchte ich nehme ich esse	lieber	Mokkatorte Vanille und Nuß das Gersterbrot ein Wurstbrot

The baker's trade—everyone needs it.

1

*Frau Schwanke kauft Kuchen bei der Bäckerei Sohl in Benniehausen**

Frau Schwanke Guten Tag, Frau Sohl!
Frau Sohl Guten Tag, Frau Schwanke! Was darf ich Ihnen denn heute geben?
Frau Schwanke Ich möchte gerne Kuchen.
Frau Sohl Und welche Sorte Kuchen möchten Sie?
Frau Schwanke Obstkuchen.
Frau Sohl Ja. Apfelkuchen oder lieber Zwetschgenkuchen?
Frau Schwanke Heute möchte ich lieber Zwetschgenkuchen.
Frau Sohl Und wieviel Stücke darf ich Ihnen einpacken?
Frau Schwanke Zwei Stück, bitte. Und was kostet das bitte?
Frau Sohl Die zwei Stückchen kosten 1,10 DM.

*Benniehausen ist ein Dorf etwa 10 km östlich von Göttingen.

2

Frau Schoppmann kauft bei der Fleischerei Leipert in Duderstadt ein*

Frau Schoppmann Guten Tag!
Herr Leipert Schönen guten Tag! Bitte sehr?
Frau Schoppmann Ich möchte bitte hundert Gramm Mettwurst.
Herr Leipert Ich habe die Mettwurst mit und ohne Knoblauch.
Frau Schoppmann Ich möchte lieber mit Knoblauch.
Herr Leipert Lieber mit Knoblauch. Hundert Gramm . . . das macht dann 1 DM, bitte. Haben Sie außerdem noch einen Wunsch?
Frau Schoppmann Nein, danke.
Herr Leipert Bitte sehr.

*Duderstadt ist eine Kleinstadt etwa 25 km östlich von Göttingen.

In Göttingen

3

Frau Schoppmanns Sohn Edgar will Kuchen kaufen

Edgar	Ich gehe zur Konditorei, was soll ich mitbringen?
Frau Schoppmann	Für mich bitte Apfelkuchen.
Susanne	Ich möchte lieber . . . Mokkatorte.
Harald	Und für mich Baumkuchen.

was soll ich mitbringen? — what shall I get?

4

Frau Meinhardt geht mit Christiane und Dagmar zur Eisdiele am Marktplatz

Frau Meinhardt	Na, endlich sind wir da. Christiane, was möchtest du denn haben? Vielleicht Schokolade und Himbeer?
Christiane	Nein, ich möchte lieber Vanille und Nuß.
Frau Meinhardt	Und du, Dagmar, möchtest du dasselbe haben?
Dagmar	Nein, ich möchte lieber Vanille und Schokolade haben.

möchtest du* dasselbe haben? — would you like the same?

*as she is speaking to a nine-year old child, Frau Meinhardt uses *du,* the familiar equivalent of *Sie*.

5

Frau Swart kauft ein Geschenk in der Drogerie in der Theaterstraße

Frau Swart	Guten Tag, Frau Odebrecht!
Frau Odebrecht	Ja, guten Tag, Frau Swart!
Frau Swart	Ich möchte gerne eine hübsche Kerze bei Ihnen kaufen und zwar als Geschenk. Was können Sie mir da geben?
Frau Odebrecht	Möchten Sie lieber eine große oder eine kleine Kerze?
Frau Swart	Ja, das kommt auf den Preis an, natürlich.
Frau Odebrecht	Also, die großen kosten zwischen acht und zehn Mark und die kleineren zwischen drei und fünf Mark.
Frau Swart	Dann möchte ich lieber eine kleinere Kerze haben.
Frau Odebrecht	Ich zeige Ihnen hier eine runde, grüne Kerze, eine rote . . .
Frau Swart	Nein, Rot möchte ich nicht so gern. Dann nehme ich lieber die grüne.

das kommt auf den Preis an — that depends on the price

6

Herr Schwarze und Herr Fiedler gehen in die Junkernschänke

Kellner	Guten Abend!
Herr Schwarze	Guten Abend!
Kellner	Darf ich Ihnen etwas zu essen bringen?
Herr Schwarze	Können Sie mir etwas empfehlen?
Kellner	Wir hätten heute Cordon Bleu oder Wetterauer Bauerntopf zu empfehlen.
Herr Schwarze	Da möchte ich doch lieber Fisch essen.
Kellner	Darf es eine Forelle sein?
Herr Schwarze	Ja, gern.

Junkernschänke

Kellner	Möchten Sie auch etwas essen, bitte?
Herr Fiedler	Nein danke, ich möchte nur etwas trinken.
Kellner	Möchten Sie einen Wein?
Herr Fiedler	Nein, ich möchte lieber Bier trinken.
Kellner	Möchten Sie lieber ein Göttinger Edelpils oder ein Franziskaner?
Herr Fiedler	Bitte bringen Sie mir ein Göttinger Edelpils.
Kellner	Danke.

wir hätten heute . . . zu empfehlen	I can recommend . . . today
Cordon Bleu	a sandwich of two steaks, cheese, and a piece of ham, fried in batter
Wetterauer Bauerntopf	a kind of Irish Stew
Göttinger Edelpils	a high quality beer brewed in Göttingen
Franziskaner	a brand of beer brewed in Munich

7 *Frau Wallmann kauft Brot bei der Bäckerei Meinholz*

Frau Wallmann	Guten Tag!
Herr Meinholz	Guten Tag! Bitte schön. Was darf es sein?
Frau Wallmann	Ich habe heute abend Gäste zum kalten Büfett. Was für Brotsorten können Sie mir empfehlen?
Herr Meinholz	Da kann ich Ihnen zwei Sorten empfehlen: das Katenbrot und das Gersterbrot.
Frau Wallmann	Das Katenbrot ist mir zu schwer, ich nehme doch lieber das Gersterbrot. Bitte zwei Pakete.
Herr Meinholz	Ja, selbstverständlich.

zum kalten Büfett	for a cold supper
was für Brotsorten können Sie mir empfehlen?	what kinds of bread can you recommend to me?
ist mir zu schwer	is too heavy for me

8 *An der Tankstelle möchte Herr Fiedler volltanken*

Herr Fiedler	Guten Tag!
Tankwart	Guten Tag!
Herr Fiedler	Ich möchte gern volltanken.
Tankwart	Dann müssen Sie den Motor ausschalten.
Herr Fiedler	Ach was, daran habe ich gar nicht gedacht.
Tankwart	Und rauchen dürfen Sie auch nicht, sonst müssen Sie 5 DM Strafe bezahlen.
Herr Fiedler	Dann mache ich lieber meine Zigarette aus.

daran habe ich gar nicht gedacht	I'd completely forgotten about that

Hören und Verstehen

Herr Sohl ist verheiratet und hat einen Sohn. Er ist Bäckermeister in Benniehausen in der Nähe von Göttingen. Frau Schoppmann interviewt ihn über sein Geschäft und seinen langen Arbeitstag.

Hermann Sohl

Why does Herr Sohl drive two days a week to Göttingen and two days a week to the neighbouring villages?
Does he only bake bread?
How long does he have between getting up and starting work?
When do the bread and cakes have to be ready?
Why?
Does Herr Sohl have any help?
Why do the local farmers buy his cakes only in September?

Frau Schoppmann Herr Sohl, was sind Sie von Beruf?
Herr Sohl Ich bin Bäckermeister.
Frau Schoppmann Backen Sie jeden Tag?
Herr Sohl Ja, ich backe jeden Tag.
Frau Schoppmann Verkaufen Sie all Ihre Backwaren in Ihrem Geschäft?
Herr Sohl Nein, ich fahre an zwei Tagen nach Göttingen und an zwei Tagen auf die Nachbardörfer.
Frau Schoppmann Was für Brot backen Sie?
Herr Sohl Ich backe Roggenbrot, Graubrot, Katenbrot, Weißbrot . . .
Frau Schoppmann Backen Sie auch Kuchen?
Herr Sohl Ja.
Frau Schoppmann Wann müssen Sie aufstehen?
Herr Sohl Ich muß um vier Uhr aufstehen.
Frau Schoppmann Und wann müssen Sie mit der Arbeit beginnen?
Herr Sohl Gleich nach dem Aufstehen beginne ich mit der Arbeit.
Frau Schoppmann Was müssen Sie zuerst backen?
Herr Sohl Das ist sehr unterschiedlich. Ich muß bis acht Uhr alles fertig haben, weil meine Frau dann den Laden öffnet. Ich backe Brötchen, Weißbrot, Brot und Kuchen.
Frau Schoppmann Müssen Sie das alles alleine machen?
Herr Sohl Nein, ich habe zwei Gesellen.
Frau Schoppmann Haben Sie auch Maschinen?
Herr Sohl Ja, ich habe Maschinen und verschiedene kleinere Geräte.
Frau Schoppmann Ist Ihre Arbeit das ganze Jahr über gleich?
Herr Sohl Nein . . . zur Urlaubszeit im Juli, August backe ich weniger, weil viele meiner Kunden im Urlaub sind. Im September zur Erntezeit backe ich bedeutend mehr, die Bauern bringen dann die Ernte ein. Sie haben keine Zeit, selber zu backen und kaufen den Kuchen dann bei mir.
Frau Schoppmann Essen Sie gerne Ihre eigenen Backwaren?
Herr Sohl Sehr wenig. Ich esse lieber ein Wurstbrot und trinke eine Flasche Bier dazu.

Überblick

If you want to buy something, you might be asked:

welchen Kuchen welche Farbe welches Brot welche Blumen	möchten Sie?

How to ask for advice on your choice:

welchen Wein welche Wurst welches Bier welche Sorten	können Sie mir empfehlen?

How to say what you would prefer to have *or* do:

(ich möchte)	lieber	Zwetschgenkuchen eine kleine Kerze
ich nehme ich esse	lieber	das Gersterbrot ein Wurstbrot
ich mache	lieber	meine Zigarette aus

You can also say what you prefer to do in this way:

ich möchte lieber	Fisch essen Bier trinken

The verb expressing what you prefer to do comes at the end of the sentence.

How to be specific about what you prefer:

ich	nehme kaufe möchte	lieber	den billigen (Wein) die kleine (Kerze) das große (Stück) die roten (Rosen) einen billigen (Wein) eine kleine (Kerze) ein großes (Stück) rote (Rosen)

Übungen

1 You have been invited out for tea, but you're trying to slim.

Möchten Sie lieber Apfelkuchen oder Schwarzwälder Kirschtorte?
Lieber Apfelkuchen, bitte.
Mit oder ohne Sahne?
....
Möchten Sie Kakao oder eine Tasse Tee trinken?
....
Mit Milch oder Zitrone?
....
Nehmen Sie Zucker?
....

2 You are spending a weekend with friends in the country and don't feel like being very active. How would you answer their invitations?

Möchten Sie Tennis spielen oder die Zeitung lesen?
Ich möchte lieber ....
Möchten Sie eine Tasse Tee trinken oder spazierengehen?
....
Möchten Sie heute abend tanzen gehen oder fernsehen?
....
Möchten Sie morgen in die Stadt fahren oder zu Hause bleiben?
....
Möchten Sie schwimmen gehen oder in der Sonne liegen?
....

3 The definition of the ideal wife: how would you answer the marriage bureau's questions?

soll sie reich oder arm sein?	Lieber reich.
schlank oder dick?	....
ledig, geschieden oder Witwe?	....
mit oder ohne Brille?	....
Deutsche oder Engländerin?	....
berufstätig oder Hausfrau?	....
Raucherin oder Nichtraucherin?	....

Erfolgreicher Arzt
35/182 möchte gern 1975 den Erfolg in der Praxis auch zu einem Erfolg im Privatleben machen. Welche scharmante, schlanke junge Dame nimmt Kontakt zu mir auf? Zuschrift mit Bild erbeten unter B77538. Diskretion selbstverständlich.

Diplom-Ingenieur
Kultiviert, sportlich, Witwer, Anfang 40, sucht Kontakt mit einer hübschen Dame (auch geschieden) bis Mitte 30, natürlich, humorvoll, Nichtraucherin, am liebsten berufstätig. Zuschriften bitte unter F174437.

4 Und was für einen Mann hätten Sie lieber?

jung oder alt?	Lieber einen jungen.
intelligent oder dumm?	....
groß oder klein?	....
mit Bart oder ohne Bart?	....
ledig oder Witwer?	....
katholisch oder evangelisch?	....
humorvoll oder ernst?	....
Lehrer oder Zahnarzt?	....

Selbständige Dame, Witwe 51/165, blond, Brillenträgerin, berufstätig, sucht netten, intelligenten Lebenspartner (auch Witwer oder geschieden) bis Ende 60 für gemeinsame Ausflüge, Theater- und Konzertbesuche. Nur ernstgemeinte Zuschriften bitte unter I24759.

Ich bin 27/168, schlank, berufstätig und möchte eine Familie. Der Mann soll Anfang 30 sein, katholisch, intelligent und unternehmungslustig. Zuschriften bitte unter M450639.

Dame 31/170, schlank, blond, erfolgreich im Beruf, geht gern in die Oper und wandert gern, wünscht eleganten, kultivierten Herrn in guter Position kennenzulernen zwecks späterer Ehe. Über eine Kontaktaufnahme (mit Bild) würde ich mich sehr freuen. Zuschriften unter B2484373.

5 No two people ever want the same two ice cream flavours or the same size portions! Which combinations do you prefer?

Was möchten Sie denn—Mokka und Nuß?
Nein, ich esse lieber Nuß und Vanille.
Portionen zu 40 oder zu 60 Pf.?
Lieber zu 60 Pf.!

Möchten Sie auch Nuß und Vanille?
Nein, ich ....
Auch zu 60 Pf.?
Nein, lieber ....

How many combinations are possible?

6 You're giving a party—ask your two friends what they prefer:

Welchen Kuchen essen Sie lieber—den Zwetschgenkuchen oder den Apfelkuchen

Ich esse lieber den Apfelkuchen.
....?
Ich nehme lieber die Mokkatorte.
....?
Ich möchte lieber den Edamer.
....?
Ich trinke lieber den roten.
....?
Ich esse lieber die schwarzen.
....?
Ich trinke lieber ein Franziskaner.

7 Sie tragen gern Grau. Sie essen gern Gersterbrot und trinken gern Göttinger Edelpils. Am Abend gehen Sie gern ins Kino. Am Wochenende gehen Sie gern spazieren. Im Sommer fahren Sie oft an die See, aber Sie fahren nicht sehr gern mit dem Auto dorthin.

Im Kaufhaus fragt die Verkäuferin:
Tragen Sie gern Blau?
Nein—ich trage lieber Grau.

In der Bäckerei fragt man:
Essen Sie gern Graubrot?
....

In der Junkernschänke fragt der Kellner:
Trinken Sie gern Franziskaner?
....

Beim Mittagessen fragt ein Kollege:
Gehen wir heute abend zum Stammtisch?
....

Am Freitag ruft Ihr Bruder an:
Wollen wir morgen zum Fußball gehen?
....

Im Reisebüro fragt man:
Wollen Sie in die Berge fahren?
....

Dann fragt man:
Wollen Sie mit dem Auto dorthin fahren?
....

Wissenswertes

Backwaren

There are some 200 different types of German bread, but in spite of this huge choice, over 60 per cent of households buy *Graubrot*, a bread containing a mixture of rye and wheat. The best kind of bread to try is that baked by a *Bäckermeister* and sold in his shop. The most delicious varieties are *Bauernbrot* (farmer's loaf), *Weizenbrot* (wheat loaf), *Katenbrot* (cottage loaf), the almost black *Pumpernickel* (a coarse rye bread—try it with cheese!) and *Vollkornbrot* (rye bread). *Gersterbrot* is a local speciality in the Göttingen area. This bread has a special crust which is produced by baking the dough twice.

Usually it is cheaper to buy bread in a supermarket. Bread-factories already produce 30 per cent of all bread, and in recent years they have helped to squeeze many small bakeries out of business.

This process is likely to continue, but the disappearance of small bakeries is not entirely due to the big bread-factories: it has also to do with a lack of job satisfaction. Apprentices are difficult to find and the road to a master-baker's certificate is long and arduous. Night work, as well as professional hazards like lung-disease, are discouraging recruits from joining this time-honoured trade.

Try this recipe for Roggenbrot

Roggenbrot is another kind of rye bread—medium brown, quite coarse:

1 lb (454 g) rye flour
4 oz (113 g) white flour
½ oz (14 g) baker's yeast
1 pint (0·6 litre) milk
1 teaspoon salt
2 teaspoons pounded aniseed or fennel

Dissolve the yeast in warm milk and mix with four ounces (113 g) of the rye flour. Leave to rise overnight. Next day, add the rest of the ingredients and knead smoothly. Put into a warm bowl, cover with a cloth and leave in a warm place to rise until it has doubled in bulk. Shape into two loaves, put on a greased baking sheet, and bake in a moderate oven for thirty minutes. Brush with warm water, return to the oven and continue baking for another hour and fifteen minutes.

Das kann ich nicht

How to ask if someone is able to do something:

können Sie | Tennis spielen?
| reiten?

How to ask if someone can do something for you:

können Sie | etwas lauter sprechen?
| herunterkommen?
| mir sagen, wo die Toilette ist?

In Göttingen

1 *Frau Nause bei der Arbeit im Tourist-Office*

Herr Heyl Ich suche hier in Göttingen oder Umgebung Ferienwohnungen. Haben Sie so etwas?

Frau Nause Ja, die gibt es.

Herr Heyl Und haben Sie da einen Prospekt drüber, oder was können Sie mir da zeigen?

Frau Nause Ja, ich kann Ihnen gerne einen Prospekt geben—aber ich glaube, die Ferienwohnungen sind zur Zeit alle besetzt.

Herr Heyl O, das ist schade.

Frau Nause Doch versuchen Sie es ruhig. Telefonieren Sie . . . und dann sehen Sie, ob noch was frei ist.

Herr Heyl Kann ich diesen Prospekt mal mitnehmen und mir das in Ruhe anschauen?

Frau Nause Ja, bitte. Hoffentlich haben Sie Glück.

haben Sie so etwas?	do you have anything like that?
zur Zeit alle besetzt	all taken at the moment
doch versuchen Sie es ruhig	but at least have a try
ob noch was frei ist	if there's anything vacant
und mir das in Ruhe anschauen	and look at it when I have time
hoffentlich haben Sie Glück	I hope you're in luck

2 *Bei Frau Klie*

Herr Schwarze Entschuldigen Sie bitte, können Sie mir sagen, wie spät es ist?

Frau Klie Es tut mir leid, ich bin etwas schwerhörig, können Sie nicht etwas lauter sprechen?

3 *In Gebhards Hotel: an der Rezeption*

Herr Fiedler Können Sie mir sagen, wo der Frühstücksraum ist?

Empfangsdame Geradeaus im Restaurant bitte.

Herr Fiedler Danke.

Empfangsdame Bitte schön.

4 — *In Gebhards Hotel: an der Rezeption*

Herr Schwarze	Entschuldigen Sie, können Sie mir sagen, wo die Toilette ist?
Empfangsdame	Die Toilette ist da vorne gegenüber der Garderobe.
Herr Schwarze	Ah ja, schönen Dank.
Empfangsdame	Bitte schön.

5 — *Frau Wallmann telefoniert mit einem Nachbarn*

Herr Starp	Ja, was ist, Frau Wallmann?
Frau Wallmann	Herr Starp, können Sie nicht ganz schnell mal herunterkommen? Mit meinem Fernseher stimmt wieder was nicht.
Herr Starp	Ja, das kann ich machen. In fünf Minuten?
Frau Wallmann	Gut, bis gleich.

was ist?	what's the matter?
mit meinem Fernseher stimmt wieder was nicht	there's something wrong with my TV again

6 — *An der Kasse des Deutschen Theaters*

Herr Fiedler	Ich möchte gern zwei Karten für den einundzwanzigsten, *Androklus und der Löwe.**
Kassen-angestellte	Für den einundzwanzigsten, da haben wir die Karten noch nicht da. Können Sie eventuell in der nächsten Woche nochmal vorbeikommen?
Herr Fiedler	Kann ich dann die Karten auch telefonisch bestellen?
Kassen-angestellte	Ja, das können Sie. Sie müssen die Karten nur am Vorstellungstag bis 13 Uhr abholen.

nochmal vorbeikommen	call again

**Androcles and the Lion,* by G. B. Shaw

7 — *Manfred Schwarze mit seinen Freunden*

Gerda	Hallo, Manfred! Hallo, Otto!
Otto	Guten Tag, Gerda!
Manfred	Tag, Gerda!
Gerda	Ich habe für den Sonnabend zwei Pferde, und Monika ist krank, sie kann nicht mitkommen. Otto, Sie können doch reiten?
Otto	Das tut mir leid. Ich kann nicht reiten. Aber ich glaube, Manfred kann reiten, nicht wahr?
Manfred	Ja, ich kann reiten.
Gerda	Und zwar habe ich die Pferde für 11.30 Uhr gemietet. Paßt Ihnen das?
Manfred	Ja, am Samstag vormittag um 11.30 Uhr kann ich kommen.
Gerda	Könnten Sie dann um 11.30 Uhr an der Reitpension sein?
Manfred	Ja, das geht.
Gerda	Gut, dann lassen wir's dabei.
Manfred	Schön. Auf Wiedersehen, Gerda!

und zwar habe ich die Pferde für 11.30 Uhr gemietet	and by the way I've booked the horses for 11.30 a.m.
das geht	that's all right
gut, dann lassen wir's dabei	OK, that's settled then

8

Schoppmanns in der Freizeit

Frau Meinhardt	Frau Schoppmann, was machen Sie in Ihrer Freizeit?
Frau Schoppmann	Ich arbeite gerne im Garten, ich gehe gerne schwimmen und in diesem Sommer möchte ich Tennis spielen.
Frau Meinhardt	Können Sie schon spielen?
Frau Schoppmann	Ja, ein bißchen kann ich schon spielen, aber ich spiele schon lange nicht mehr.
Frau Meinhardt	Warum wollen Sie gerade in diesem Sommer wieder spielen?
Frau Schoppmann	Mein Sohn möchte es gern lernen.
Frau Meinhardt	Wollen Sie ihn unterrichten?
Frau Schoppmann	Nein, das kann ich nicht. Ich soll seine Partnerin sein.
Frau Meinhardt	Und Ihr Mann?
Frau Schoppmann	Nein, der kann nicht spielen, und er möchte es auch nicht.

ich spiele schon lange nicht mehr	I haven't played for a long time now
warum gerade in diesem Sommer?	why particularly this summer?
wollen Sie ihn unterrichten?	are you planning to teach him?
ich soll seine Partnerin sein	I'm just supposed to play with him

9

Bei Meinhardts

Christiane	Mutti! Dagmar geht heute nachmittag mit ihrem Vater schwimmen.
Frau Meinhardt	Da kannst du doch mitgehen, Christiane.
Christiane	Nein, sie kann doch noch nicht schwimmen. Da will ihr Vater mit ihr allein sein und mit ihr üben.

da kannst du doch mitgehen	you can go with them then
da will ihr Vater mit ihr allein sein	her father wants to be on his own with her

Hören und Verstehen

Frau Nause in Göttingen, Herr Krukenberg in Duderstadt und Herr Becker in Kassel sprechen über ihre Städte.

Das Rathaus in Duderstadt

What can one do in Göttingen?
Where is the torture chamber in Duderstadt?
Why can't you walk far if you go south or east from Duderstadt?
Where is the largest hillside park in Europe?
Why do thousands of visitors come to Kassel from all over the Federal Republic?
Where in Kassel can you find out about Grimm's fairy tales?
On which river can you go for a steamer trip?

Frau Nause	Ich arbeite im Tourist-Office. Dort berate ich Gäste, die nach Göttingen kommen, wo sie übernachten können, was sie in Göttingen unternehmen können.
Herr Schwarze	Was kann man denn in Göttingen alles unternehmen, Frau Nause?
Frau Nause	Man kann in Göttingen einen Stadtrundgang machen; man kann sich die Museen anschauen; man kann hier schwimmen gehen; man kann sehr schöne Wanderungen in der Umgebung machen . . . und man kann auch ins Theater gehen.
Frau Schoppmann	Ich bin hier im Rathaus der Stadt Duderstadt und spreche mit Herrn Stadtdirektor Krukenberg. Herr Krukenberg, was kann man in Duderstadt besichtigen?
Herr Krukenberg	Das Interessanteste in Duderstadt ist das Rathaus. Das Rathaus ist siebenhundert Jahre alt. Im Rathaus können wir die Salzkammer besichtigen, die Folterkammer und den großen Rathaussaal.
Frau Schoppmann	Gibt es noch mehr alte Gebäude in Duderstadt?
Herr Krukenberg	O ja, wir haben an der Marktstraße zwei große alte Kirchen. Und wir haben den Stadtkern mit etwa vierhundert alten Fachwerkhäusern. Um diesen Stadtkern herum zieht sich ein Wall mit vielen, vielen Bäumen. Hier kann man sehr gut spazierengehen.
Frau Schoppmann	Kann man von Duderstadt aus auch größere Wanderungen machen?
Herr Krukenberg	Ja, das können Sie, und zwar in Richtung Westen und in Richtung Norden, auf Feldwegen und in Wäldern.
Frau Schoppmann	Und wie ist es nach Süden und Osten?
Herr Krukenberg	Nach Süden und Osten kann man nicht sehr weit wandern: schon nach eineinhalb Kilometern kommen wir an die Grenze zur DDR.
Frau Meinhardt	Herr Becker, was kann man als Tourist in Kassel ansehen?
Herr Becker	Man kann besonders den Park und das Schloß Wilhelmshöhe besuchen. Der Park Wilhelmshöhe ist der größte Bergpark in Europa. Jede Woche finden dort zweimal Wasserspiele statt, und immer kommen Tausende von Besuchern aus der ganzen Bundesrepublik, um sich diese Wasserspiele anzuschauen. Man kann sich in Kassel aber auch das Brüder-Grimm Museum anschauen. Dort finden Sie zahlreiche Erinnerungen an die Märchen der Brüder Grimm.
Frau Meinhardt	Und was kann man sonst noch in Kassel machen?
Herr Becker	Es gibt in Kassel viele große Parks, in denen man spazierengehen kann. In den vielen Wäldern in der Umgebung Kassels kann man gut wandern. Im Sommer kann man auch auf der Fulda Dampfer fahren, das ist natürlich besonders schön.

Überblick

How to ask if someone is able to do something:

können Sie	reiten? Tennis spielen? schwimmen?	ja, ich kann nein, ich kann nicht	reiten Tennis spielen schwimmen
		ja, das kann ich nein, das kann ich nicht	

How to ask someone to do something:

können Sie	mir helfen? lauter sprechen? schnell herunterkommen? diesen Schirm reparieren?

ja,	das kann ich ich kann es das können wir	(machen)	nein,	das kann ich ich kann es das können wir	nicht (machen)

These requests can be put even more politely:

könnten Sie	mir helfen? meine Tasche nähen? uns zwei Bier bringen? um 11.30 Uhr an der Reitpension sein?

How to ask if it's possible to do something:

kann	ich man	dort Wanderungen machen? die Karten telefonisch bestellen?

ja, das	können Sie kann man	(machen)	nein, das	können Sie kann man	nicht (machen)

You will hear both:

kann ich	den Prospekt mitnehmen? Ihren Führerschein sehen?	*and*	darf ich	den Prospekt mitnehmen? Ihren Führerschein sehen?

but in this kind of polite enquiry there is no difference in meaning.

How to ask someone for information:

können Sie mir sagen,	wie spät es ist? wo die Toilette ist?

Übungen

1 Sort out the muddle

Kann ich um 11 Uhr zu Ihnen	haben?
Kann ich meinen Schlüssel gleich	helfen?
Kann ich hier Briefmarken	weiterfahren?
Kann ich den Anzug	parken?
Kann ich mit Fräulein Hansen	kaufen?
Kann ich Ihnen	nach München durchwählen?
Kann ich hinter dem Haus	kommen?
Kann ich mit dem Schnellzug	morgen abholen?
Kann ich direkt	sprechen?

2 Können Sie . . .? What were your questions?

Können Sie Auto fahren?	Ja, aber heute darf ich nicht Auto fahren.
........................?	Ja, aber ich möchte jetzt nicht mitkommen.
........................?	Nein, leider kann ich nicht warten.
........................?	Ja, ich kann das Hotel Condor empfehlen.
........................?	Ja, ich kann Ihnen gerne einen Prospekt geben.
........................?	Nein, leider nicht, aber meine Frau kann reiten.

3 You arrive in Göttingen for an evening at the theatre. You've never been there before, so you need to keep asking for information. What did you ask?

Können Sie mir sagen, wo das Deutsche Theater ist?
Das Deutsche Theater ist am Theaterplatz.

Können Sie mir sagen, ...? Der nächste Bus fährt in zwanzig Minuten.

....? Die Theaterkasse? Gleich am Eingang.

....? Die Vorstellung beginnt um 20 Uhr.

....? Das Programm kostet 1 DM.

....? Die Pause dauert eine Viertelstunde.

....? Die Bar ist neben dem Ausgang drüben.

....? Das Restaurant—da gehen Sie die Treppe runter und dann rechts.

4 How many of these things can you do?

Können Sie reiten?	Ja, ich kann reiten. Nein, ich kann nicht reiten.
Können Sie schwimmen?	....
Können Sie Auto fahren?	....
Können Sie Ski fahren?	....
Können Sie Klavier spielen?	....
Können Sie tanzen?	....
Können Sie Tennis spielen?	....
Können Sie Deutsch sprechen?	....

5 Sie sind zum ersten Mal in einem Hotel und müssen immer fragen.

Entschuldigen Sie bitte. Ich kann den Frühstücksraum nicht finden. Wo ist er?
Der Frühstücksraum? Bitte schön—hier geradeaus und dann rechts.

Entschuldigen Sie bitte. Ich kann ....?
Die Zeitungen liegen drüben auf dem Tisch.
Entschuldigen Sie bitte. ....?
Ihr Gepäck ist schon auf dem Zimmer.
....?
Der Parkplatz ist hinter dem Hotel.
....?
Ihre Frau? Es tut mir leid, das weiß ich nicht.

6 Heute abend sind Sie zu Hause, aber morgen haben Sie sehr viel zu tun. Nächste Woche bleiben Sie da, aber Ihr Mann muß nach Hamburg fahren. Ihre Kollegin möchte etwas von Ihnen—können Sie ihr helfen?

Ja, das kann ich schon. Es tut mir leid. Das kann ich nicht.

1 Können Sie mich morgen abholen?
2 Können Sie mich heute abend anrufen?
3 Können Sie nächsten Montag um 11 Uhr da sein?
4 Können Sie Ihren Mann mitbringen?
5 Können Sie mir 100 DM geben?

7 Im Kaufhaus einkaufen ist sehr kompliziert—es gibt so viele Etagen und Abteilungen! Was fragen Sie?

Zum Beispiel:

Entschuldigen Sie bitte. Wo kann ich hier Schuhe kaufen?
Schuhe? — in der zweiten Etage.

Entschuldigen Sie bitte ....?
Käse können Sie in der Lebensmittelabteilung kaufen.

.... ?
Hosen finden Sie in der dritten Etage.

.... ?
Handschuhe bekommen Sie im Erdgeschoß.

.... ?
Kaffee gibt es in unserem Restaurant.
Nach dem Kaffee möchten Sie telefonieren:

.... ?
Da drüben ist eine Telefonzelle.

8 Urlaub in Süddeutschland—eine gute Idee!

	Augsburg	Füssen	Lindau	Oberstdorf
schwimmen	√	√	√	√
angeln	×	√	√	√
Golf spielen	√	√	√	×
reiten	√	×	√	×
segeln	×	×	√	×
Tennis spielen	√	√	√	√
Ski fahren	×	√	×	√

a Was kann man in Augsburg machen?
b Was kann man in Oberstdorf nicht machen?
c Wo kann man angeln?
d Wo kann man nicht segeln?
e Wo kann man Tennis spielen?
f Wo kann man nicht reiten?

Wissenswertes

Going to Germany?

You have decided to spend your next holidays in Germany, but can't make up your mind about which area to visit. As well as consulting guidebooks, you can get a lot of useful information by writing to the local or regional tourist offices. Below we give some of the addresses; a fuller list may be obtained from the German National Tourist Office, 61 Conduit Street, London W1R 0EN.

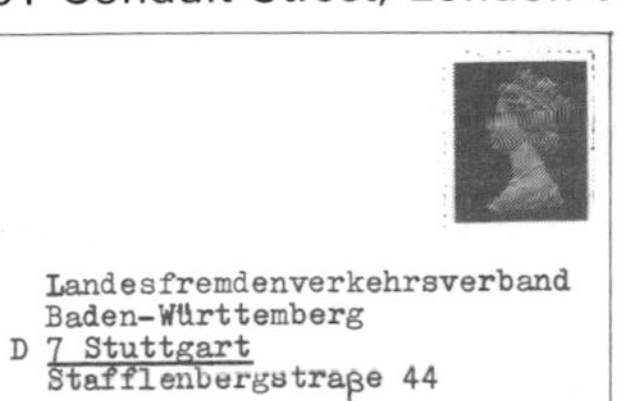

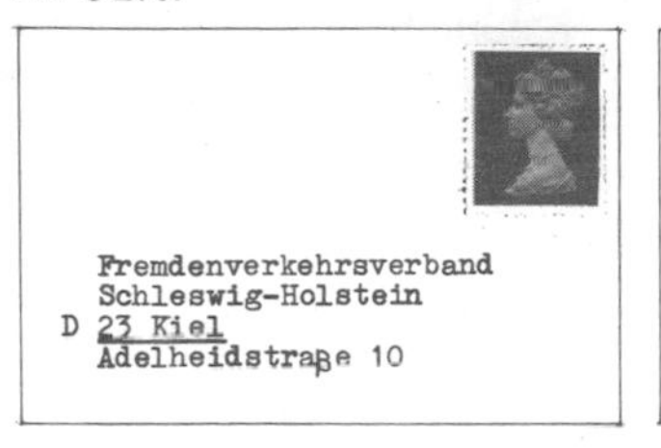

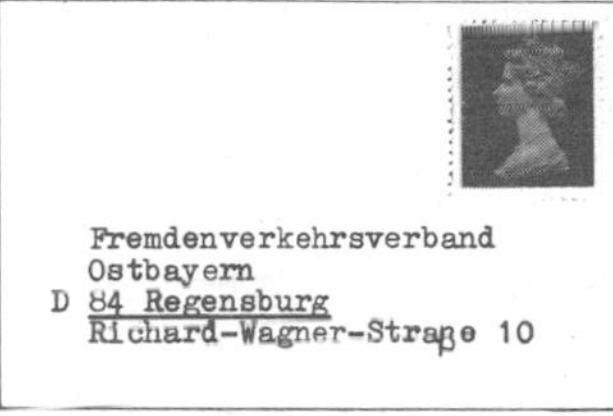

Here are a few suggestions of the sort of things you might need to ask for:

Fremdenverkehrsverband
Saarland
D 65 Saarbrücken
Haus Berlin

Edinburgh, den 19. November 1976

Sehr geehrte Damen und Herren!
Im April möchte ich mit meiner Familie nach Saarbrücken fahren. Könnten Sie mir bitte Informationen über das Saarland, einen Prospekt und ein Unterkunftsverzeichnis für Saarbrücken, und Informationen über Ausflugsmöglichkeiten schicken?

Mit verbindlichem Dank
Anne Hankinson

Landesverkehrsverband
Hessen
D 62 Wiesbaden
Bismarckring 23

Norwich, den 23. Oktober 1976

Sehr geehrte Damen und Herren!
Mein Mann und ich möchten im August nächsten Jahres Hessen besuchen. Bitte schicken Sie uns informationen mit Unterkunftsverzeichnis, Prospekte über Wiesbaden und ein Verzeichnis der Campingplätze in Hessen. Vielen Dank für Ihre Hilfe.

Mit freundlichen Grüßen
Lynda Phelps

Fremdenverkehrsverband
Allgäu/Bayerisch-Schwaben
D 89 Augsburg
Halderstraße 12

Southampton, den 3. Februar 1975

Sehr geehrte Damen und Herren!

Wir möchten im Juni unseren Urlaub in Schwaben verbringen.
Ich bitte daher um ein Informationsheft über Schwaben und das Allgäu, allgemeine Ortsprospekte über Augsburg und Nördlingen, einen Prospekt über "Ferien auf dem Bauernhof" und Informationen über Unterkunftsmöglichkeiten.

Mit freundlichen Grüßen
Richard S. Thoday

FÜNF 5 Ganz bestimmt!

Saying whether or not you are sure about something:

aber / ja,	sicher / natürlich				
		wahrscheinlich / vielleicht			
		das	glaube / weiß	ich	schon / nicht

In Göttingen

1 *Bei Heidrichs*

Peter Papa?
Herr Heidrich Ja?
Peter Darf ich das Klebeband haben?
Herr Heidrich Aber natürlich.
Peter Ich bringe es auch gleich zurück.
Herr Heidrich Ja, sicher.

ich bringe es auch gleich zurück	I'll bring it back straight away

2 *Manfred Schwarze und Bärbel Stüker*

Manfred Du, Bärbel, schau mal, was hier in der Zeitung steht. Jeden Tag ertrinken drei Menschen in der Badewanne. Glaubst du das?
Bärbel Ja, das glaube ich schon, mehr passen ja gar nicht rein.

glaubst du das?	do you believe that?
mehr passen ja gar nicht rein	you couldn't get any more in

3 *Manfred* Bärbel, gehen wir doch mal schwimmen?
Bärbel Ja, gerne. Aber vielleicht ist das Bad gar nicht mehr geöffnet.
Manfred Ja, das ist schon möglich. Am besten, ich schaue gleich mal nach. Hier steht: Öffnungszeit des Schwimmbads von 14—18 Uhr.
Bärbel Das stimmt doch gar nicht. Die haben doch auch vormittags geöffnet.

am besten, ich schaue gleich mal nach	I'd best look it up straight away
die haben doch auch vormittags geöffnet	they're open in the mornings too

4 *Harald sucht sein Deutschbuch*

Harald Wo ist mein Deutschbuch, Mutti? Ich kann es nicht finden.
Frau Schoppmann Das weiß ich nicht.
Harald Hoffentlich hat es Susanne nicht mitgenommen.

hoffentlich hat es Susanne nicht mitgenommen	I hope Susanne didn't take it with her

5 *Susanne übt Klavier*

Susanne Mutti, habe ich genug geübt?
Frau Schoppmann Wie lange übst du denn schon?
Susanne Eine halbe Stunde.

Frau Schoppmann Das stimmt aber nicht. Das waren höchstens zehn Minuten.
Susanne Doch. Ganz bestimmt!

habe ich genug geübt?	have I practised enough?
wie lange übst du denn schon?	how long have you been practising?

6 *Gerda Reents ruft Manfred Schwarze an*

Manfred Schwarze.
Gerda Ja, Manfred, hier ist Gerda. Wir gehen heute abend ins Kino, möchten Sie nicht mitkommen?
Manfred Ja, vielleicht schon. Welcher Film läuft denn?
Gerda Es läuft das *Cabaret*, mit Liza Minnelli.
Manfred Wann fängt die Vorstellung denn an?
Gerda Das weiß ich nicht genau. Da muß ich erst mal nachschauen. Na, hier ist es . . . der Film beginnt um 20.30 Uhr.
Manfred Das ist prima. Das paßt mir sehr gut.
Gerda Wo treffen wir uns?
Manfred Am besten gleich vor dem Kino.
Gerda Gut, das geht in Ordnung.
Manfred Gut, dann bis später. Auf Wiederhören, Gerda.
Gerda Auf Wiederhören, Manfred.

welcher Film läuft denn?	what film's on then?
am besten gleich vor dem Kino	in front of the cinema would be best

7 *Frau Bockemühl interviewt Herrn Dr. Rocker über sein Hobby*

Frau Bockemühl Herr Dr. Rocker, Sie filmen gern. Über welches Thema haben Sie Ihren letzten Film gedreht?
Dr. Rocker Ich habe einen Film über die Entstehung des Göttinger Golfklubs gedreht.
Frau Bockemühl Über welches Thema möchten Sie Ihren nächsten Film drehen?
Dr. Rocker Ich möchte Hobby und Beruf verbinden und einen medizinischen Film drehen.
Frau Bockemühl Wann möchten Sie denn mit dem nächsten Film anfangen?
Dr. Rocker Ein solcher Film braucht natürlich sehr viel Zeit. Wahrscheinlich fange ich mit den Vorbereitungen zu diesem Film in meinem nächsten Urlaub an.

über welches Thema haben Sie Ihren letzten Film gedreht?	what was the subject of the last film you made?
ein solcher Film braucht sehr viel Zeit	a film like that takes up a lot of time

8

Bei Schoppmanns

Herr Becker Guten Abend, Herr Schoppmann.
Herr Schoppmann Guten Abend, Herr Becker.
Herr Becker Ich komme nur ganz kurz vorbei. Können wir eventuell morgen abend an unserem Film weiterarbeiten?
Herr Schoppmann Da muß ich mal meine Frau fragen. Margarete!
Frau Schoppmann Ja.
Herr Schoppmann Was machen wir morgen, Margarete?
Frau Schoppmann Soviel ich weiß, gar nichts.
Herr Schoppmann Ja, das geht schon. Wann treffen wir uns?
Herr Becker Ja, ich würde sagen, um 18 Uhr, hier bei Ihnen in der Wohnung?
Herr Schoppmann Ja, das geht.
Herr Becker Gut. Machen wir das so. Auf Wiedersehen, Herr Schoppmann.
Herr Schoppmann Wiederschauen.

ich komme nur ganz kurz vorbei	I'm just looking in for a moment

Hören und Verstehen

Herr Schoppmann an seinem alten Grammophon

Peter-Jürgen Schoppmann, der Mann von Margarete Schoppmann, ist Chef-Ingenieur bei einer optischen Firma in Göttingen. Er ist ein begeisterter Schmalfilmamateur und sammelt gern alte Grammophon und Schallplatten.

What kinds of films does Herr Schoppmann make?
How long does it take to make two minutes of film?
What was his grandfather famous for?
Why is Herr Schoppmann looking for 36 records?
Why does he spend so much time going round flea-markets?
How does he get his grandfather's records for 50 Pf.?

Frau Meinhardt Was machen Sie in Ihrer Freizeit, Herr Schoppmann?
Herr Schoppmann Ich drehe Spionagefilme, Kriminalfilme und auch Dokumentarfilme.
Frau Meinhardt Und wer spielt in Ihren Filmen?
Herr Schoppmann Das sind meine Familienmitglieder oder Schüler und Studenten.
Frau Meinhardt Und wie lange müssen Sie an einem Film arbeiten?
Herr Schoppmann An einem Film arbeite ich ein Jahr. Ich rechne für zwei Minuten Film vier Stunden.

Frau Meinhardt	Wie sind Sie zum Filmen gekommen?
Herr Schoppmann	Ich interessierte mich seit meiner Jugend für Film- und Tonaufnahmen.
Frau Meinhardt	Für welche Tonaufnahmen interessieren Sie sich?
Herr Schoppmann	Ich sammle alte Grammophone und Schallplatten.
Frau Meinhardt	Und welche sammeln Sie am liebsten?
Herr Schoppmann	Ich sammle Tonfilmschlager und Aufnahmen meines Großvaters. Mein Großvater Otto Rathke war Komponist und hat viele Schallplatten selbst aufgenommen. Seine große Spezialität waren Geräuscheffekte.
Frau Meinhardt	Wieviele Schallplatten gibt es von ihm?
Herr Schoppmann	Er hat zweiundsiebzig Aufnahmen gemacht.
Frau Meinhardt	Wieviel davon haben Sie?
Herr Schoppmann	Ich habe sechsunddreißig bis jetzt gefunden.
Frau Meinhardt	Und wo finden Sie die?
Herr Schoppmann	Diese Schallplatten finde ich auf Flohmärkten und in Antiquitätengeschäften.
Frau Meinhardt	Ist es schwer, die Platten zu finden?
Herr Schoppmann	Ja. Ich muß ungefähr zweitausend Platten durchsuchen, um eine zu finden.
Frau Meinhardt	Und was machen Sie, wenn Sie eine finden?
Herr Schoppmann	Ich sage gar nichts. Denn sonst muß ich 20 DM bezahlen, und so bekomme ich sie für 50 Pf.
Frau Meinhardt	Und was für Platten hat Ihr Großvater aufgenommen?
Herr Schoppmann	Das waren Märsche und Charakterstücke.
Frau Meinhardt	Und welches ist das Bekannteste?
Herr Schoppmann	Das war *Die Kleinbahnfahrt. Ein Eisenbahngalopp*.

Überblick

How to say you're quite certain:

aber / ja, | sicher / natürlich

ganz bestimmt
das stimmt

How to say you're not quite sure:

das glaube ich schon
wahrscheinlich
soviel ich weiß

How to say you're rather doubtful:

das ist schon möglich
da bin ich nicht so sicher
vielleicht (schon)

How to say you just don't know:

das weiß ich nicht (genau)

How to say you're certain a statement is wrong:

das stimmt | (aber) / (doch gar) | nicht

das glaube ich nicht

Übungen

You are asked for your opinion in a poll: are you a "yes", a "no" or a "don't know"?

Wein schmeckt besser als Bier
a) aber natürlich
b) das stimmt aber nicht
c) soviel ich weiß

Frauen können besser kochen als Männer
a) das stimmt
b) das weiß ich nicht
c) das glaube ich nicht

München ist schöner als Göttingen
a) das stimmt doch gar nicht
b) da bin ich nicht so sicher
c) das glaube ich schon

Rauchen ist ungesund
a) ganz bestimmt
b) wahrscheinlich
c) das glaube ich nicht

Frauen fahren zu schnell
a) ja, sicher
b) das ist schon möglich
c) das stimmt doch gar nicht

Sauerkraut schmeckt gut
a) aber sicher
b) vielleicht
c) das stimmt aber nicht

Alle Deutschen sind dick
a) das glaube ich nicht
b) ja, natürlich
c) das weiß ich nicht genau

Deutsch ist eine schwere Sprache
a) das glaube ich schon
b) das stimmt nicht
c) das ist schon möglich

2 Here are some statements about the people you've heard in this week's programme. Consult the *Überblick* to find a suitable answer, confirmation or denial. If lost, read the relevant dialogues again.

1 Peter bringt das Klebeband gleich zurück.
2 Herr Schwarze und Fräulein Stüker sind gute Freunde.
3 Herr Schwarze kann schwimmen.
4 Das Schwimmbad ist nur von 14—18 Uhr geöffnet.
5 Harald hat sein Deutschbuch verloren.
6 Susanne hat das Deutschbuch mitgenommen.
7 Susanne spielt sehr gern Klavier.
8 Fräulein Reents hat kein Telefon.
9 Fräulein Stüker geht auch ins Kino.
10 Dr. Rocker ist Arzt.
11 Dr. Rocker ist ein guter Arzt.
12 Er dreht jetzt einen Film über die Entstehung des Göttinger Golfklubs.
13 Dr. Rocker fängt mit den Vorbereitungen zu seinem Film in seinem nächsten Urlaub an.
14 Herr Becker kommt morgen um 18 Uhr.
15 Frau Schoppmann arbeitet am Film mit.

3 Stimmt das?

1 In Deutschland darf man rechts überholen.
2 In Deutschland muß man links überholen.
3 In Deutschland darf man im Kino nicht rauchen.
4 Von Kassel aus kann man nur in Richtung Norden und Westen wandern.
5 In Göttingen kann man nicht schwimmen gehen.
6 In Deutschland muß man eine Strafe zahlen, wenn man bei Rot über die Straße geht.
7 In Duderstadt kann man sich das Brüder-Grimm Museum anschauen.
8 In Deutschland muß man sehr früh im Büro sein.
9 In Städten und Dörfern darf man nicht über 50 km fahren.
10 In Deutschland kann man im Papiergeschäft eine Parkscheibe kaufen.

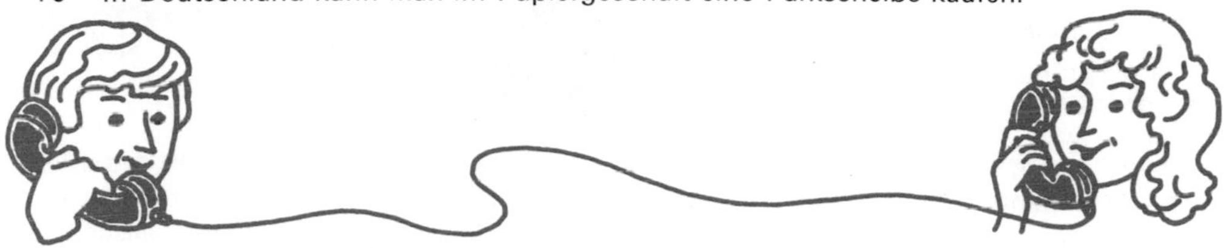

4 One afternoon your girl-/boyfriend phones up but you don't feel like going out:

Wollen wir heute Tennis spielen? Nein, ich möchte lieber im Garten arbeiten.	Say you'd rather work in the garden.
Wollen wir spazierengehen? Nein, ...	Say you'd rather laze around.
Wollen wir heute abend ins Theater gehen? Nein, ...	Say you'd rather read a book.
Wollen wir denn ins Kino gehen? Nein, ...	Say you'd rather stay at home.

5 She/he comes round, but you don't feel like her/his company:

Wollen wir zur Konditorei gehen? Nein, ich möchte lieber Manfred besuchen.	Say you'd rather visit Manfred.
Wollen wir mit dem Auto fahren? Nein, ...	Say you'd rather walk.
Darf ich mitkommen? Nein, ...	Say you'd rather go alone.

6 The next day you regret your rudeness, but now it's your proposals which are turned down:

Wollen wir jetzt Musik hören? Nein, ich muß einkaufen gehen.	She/he has to go shopping.
Wollen wir Schach spielen? Nein, ...	She/he has to write a letter.
Wollen wir vielleicht Karten spielen? Nein, ...	She/he has to wash her/his hair.
Wollen wir eine Tasse Kaffee trinken? Nein, ...	She/he has to phone Gerda.

Wissenswertes

Der deutsche Film

In the last ten years, the making of amateur cine films has changed from an expensive hobby to a popular pastime. There is now a flourishing West German Amateur Cinematographers' Club, which sponsors competitions and the exchange of films amongst its branches. Herr and Frau Schoppmann and Herr Becker all belong to the Göttingen branch, in which members make their own films (silent and with soundtracks) and view films from other clubs. It is no accident that Göttingen has so many amateur cinematographers: for a while the town was a commercial film centre.

Herr Schoppmann beim Filmen

Before the war, the German film industry was mainly centred in the eastern part of Berlin and was dominated by the UFA (Universum Film-Aktiengesellschaft). After the war, UFA was taken over by the state and renamed DEFA (Deutsche Film-Aktiengesellschaft); its studios are located in Potsdam-Babelsberg and produce about fifty features a year, including a large number of television films.

New studios were set up after the war in West Berlin, Munich, Hamburg and Göttingen, but in the course of time Munich established itself as the main centre, largely for financial reasons, and the Göttingen studios were eventually closed. There is still an institute in Göttingen which collects and studies films produced for schools and universities.

Today the film city of Geiselgasteig near Munich is one of the largest of its kind in Europe. Some of the major West German film companies are: Roxy Film-Produktion, Corona Film-Produktion and Bavaria Filmgesellschaft.

There is no government censorship of films in West Germany, but there is a Censorship Board set up by the film industry itself. By law, no child under six may go to the cinema at all; above that age the Board rates films for one of four groups: six years and over, twelve and over, sixteen and over and eighteen and over. These restrictions have to be clearly displayed in the cinema entrance.

The cost of going to the cinema in Germany can vary considerably according to the kind of cinema and the town it is in. A seat at a good cinema in a big city could cost as much as 10 DM, but the normal price for a good seat in a smaller town like Göttingen would be about 3,50 DM. Some cinemas have only one standard price, but at most there is a variety of prices.

SECHS 

Wie geht es Ihnen?

How to ask people how they are and make polite conversation:

wo kommen Sie her?	wie war Ihre Reise?
haben Sie gut geschlafen?	wie gefällt Ihnen das Hotel?

In Göttingen

1 *Bei Schoppmanns*

Frau Schoppmann Guten Tag, Herr Becker!
Herr Becker Guten Tag, Frau Schoppmann!
Frau Schoppmann Bitte schön, kommen Sie herein.
Herr Becker Danke schön.
Frau Schoppmann Möchten Sie ablegen?
Herr Becker Ach nein, danke. Ich bleibe nicht lange. Ist Ihr Mann schon zurück?
Frau Schoppmann Nein, mein Mann ist noch in Berlin.
Herr Becker Wann kommt er denn zurück?
Frau Schoppmann Ich denke, morgen nachmittag.
Herr Becker Wie geht es ihm denn?
Frau Schoppmann Danke, es geht ihm sehr gut.
Herr Becker Ah, das freut mich. Grüßen Sie Ihren Mann bitte recht schön. Ich rufe dann mal an. Auf Wiedersehen, Frau Schoppmann!
Frau Schoppmann Auf Wiedersehen, Herr Becker!
Herr Becker Wiedersehen!

möchten Sie ablegen?	would you like to take your coat off?
das freut mich	I'm glad to hear that
ich rufe dann mal an	I'll give you a ring

2 *Auf der Straße*

Frau Meinhardt Tag, Herr Schwarze!
Herr Schwarze Tag, Frau Meinhardt! Nett, Sie mal wiederzusehen.
Frau Meinhardt Wie geht's Ihnen denn?
Herr Schwarze O danke, man lebt, und Ihnen?
Frau Meinhardt Och na ja, auch so ganz gut. Und was macht Ihre Freundin?
Herr Schwarze Na, sie hat momentan viel zu tun. Aber sie ist auch ganz zufrieden.

nett, Sie mal wiederzusehen	nice to see you again
man lebt	not bad (lit.: one's still alive)

3 *Bei Dr. Rocker in der Praxis*

Dr. Rocker Ja bitte.
Frau Bockemühl Guten Tag, Herr Doktor!
Dr. Rocker Guten Tag, wie geht es?
Frau Bockemühl Ach, leider nicht sehr gut, ich habe ziemlich starke Kopfschmerzen, ich habe seit vierzehn Tagen Schnupfen und jetzt . . .
Dr. Rocker Darf ich bitten, Platz zu nehmen?

Frau Bockemühl	. . . starke Kopfschmerzen . . .
Dr. Rocker	Welche Beschwerden haben Sie?
Frau Bockemühl	Herr Doktor, ich habe ziemlich starke Kopfschmerzen, und mir tun die Zähne weh, und ich kann nichts schmecken und nichts riechen.
Dr. Rocker	Seit wann haben Sie diese Beschwerden?
Frau Bockemühl	Seit vierzehn Tagen etwa habe ich einen Schnupfen, und seit zwei Tagen habe ich die Kopfschmerzen.
Dr. Rocker	Haben Sie diese Beschwerden bereits früher gehabt?
Frau Bockemühl	Ja, als ich vierzehn Jahre alt war.
Dr. Rocker	Und später, waren Sie dann ohne Beschwerden?
Frau Bockemühl	Ja, nur ich habe sehr häufig einen Schnupfen.
Dr. Rocker	Ach ja, dann darf ich nochmal die Nase sehen? So . . . und den Kopf . . . mal bitte so etwas nach rechts drehen.
Frau Bockemühl	Ja, das linke Nasenloch, das tut besonders weh.
Dr. Rocker	Ja . . . ja. Und jetzt darf ich nochmal in den Mund schauen? Ja, der Rachen ist auch etwas gerötet, aha.
Frau Bockemühl	Da tut es weh.
Dr. Rocker	Aha, ja, hier an diesem Lymphknoten, ja, der ist . . . wenn ich draufdrücke, das . . .
Frau Bockemühl	Ja, . . . ja, das merke ich.
Dr. Rocker	Spüren Sie, ja?
Frau Bockemühl	Ja, ja.
Dr. Rocker	Schmerzt es? Ja.
Frau Bockemühl	Ja, ja.
Dr. Rocker	Tut weh. Ich schreibe Ihnen ein Rezept und . . . mit Tabletten und Nasentropfen. Nehmen Sie bitte diese Tabletten dreimal täglich und auch die Nasentropfen.
Frau Bockemühl	Ja, Herr Doktor. Vielen Dank.

darf ich bitten, Platz zu nehmen?	would you take a seat please?
welche Beschwerden haben Sie?	what are your symptoms?
seit vierzehn Tagen habe ich einen Schnupfen	I've had a cold for a fortnight
haben Sie diese Beschwerden bereits früher gehabt?	have you ever had anything like this before?
als ich vierzehn Jahre alt war	when I was fourteen
bitte nach rechts drehen	please turn your head to the right
wenn ich draufdrücke	when I press on it
(das) spüren Sie, ja?	you can feel it, can you?
schmerzt es?	is it painful?
(es) tut weh	it hurts

4 *Herr Schwarze spricht mit Reisenden*

Herr Schwarze	Wo kommen Sie bitte her?
Frau Jungnickel	Ich bin von Mittenwald abgefahren.
Herr Schwarze	Wie war denn Ihre Reise?
Frau Jungnickel	Ja, die Reise war ganz normal.
Herr Schwarze	Und wie lange waren Sie unterwegs?
Frau Jungnickel	Ungefähr zehn Stunden.

Herr Schwarze Waren die Züge pünktlich?
Frau Jungnickel Ja, die Züge waren sehr pünktlich.

ich bin von Mittenwald abgefahren	I got on the train in Mittenwald
wie lange waren Sie unterwegs?	how long did the journey take?

5

Herr Schwarze Fräulein Strenzke, hatten Sie eine gute Fahrt?
Frl. Strenzke Ja, danke. Der Zug war zwar voll, aber ich habe trotzdem noch einen Sitzplatz gefunden.
Herr Schwarze Wo kommen Sie denn her?
Frl. Strenzke Aus Nienburg, Nienburg an der Weser.
Herr Schwarze Mußten Sie während der Fahrt umsteigen?
Frl. Strenzke Ich mußte ja einmal in Hannover umsteigen.
Herr Schwarze Hatte der Zug da Verspätung?
Frl. Strenzke Ja, ungefähr zehn Minuten.
Herr Schwarze Wie lange dauert denn die Fahrt von Nienburg nach Göttingen?
Frl. Strenzke Och, zusammen ungefähr zwei Stunden.

hatten Sie eine gute Fahrt?	did you have a good journey?
mußten Sie während der Fahrt umsteigen?	did you have to change on the way?

6

In Gebhards Hotel

Herr Fiedler Wie sind Sie hier in Gebhards Hotel untergebracht?
Herr Wohlfeil Ich bin zufrieden mit der Unterbringung und dem Hotel.
Herr Fiedler Haben Sie gut geschlafen?
Herr Wohlfeil Bis in die frühen Morgenstunden hinein, ja, dann haben wir die Autos draußen gehört, und dann war es nicht mehr so gut mit dem Schlafen.

Gebhards Hotel

Herr Fiedler Herr Wohlfeil, wie ist das Essen hier?
Herr Wohlfeil Wir haben hier nur gefrühstückt, aber das Frühstück war gut, besser als in manchen anderen deutschen Hotels.

wie sind Sie untergebracht?	what's your accommodation like?
haben Sie gut geschlafen?	did you sleep well?
bis in die frühen Morgenstunden hinein	till the early hours of the morning

7

In der Jugendherberge

Herr Schwarze Fräulein Wilks, wie gefällt es Ihnen in dieser Jugendherberge?
Frl. Wilks Ganz prima war das hier.
Herr Schwarze Mm. Haben Sie gut geschlafen?
Frl. Wilks Ja, sehr gut. Ich habe ein bißchen gefroren.
Herr Schwarze Das heißt, es war etwas zu kalt?

DJH Göttingen

Frl. Wilks	Ja, wir hatten das Fenster auch ganz weit auf.
Herr Schwarze	Und wie ist das Essen hier?
Frl. Wilks	Das Frühstück war hervorragend; ganz viel Brötchen und Auflage.
Herr Schwarze	Ist so eine Jugendherberge nicht etwas unbequem?
Frl. Wilks	Nein, nur . . . wir waren ein wenig an die Öffnungszeiten gebunden, aber bei uns hat man eine Ausnahme gemacht.
Herr Schwarze	Wie schläft man denn hier?
Frl. Wilks	Ganz prima, aber wir hatten einen Schnarcher dabei, und das war ein bißchen laut.

ich habe ein bißchen gefroren	I got a bit cold
das heißt	you mean
ganz viel Brötchen und Auflage	lots of rolls and things to put on them
ist so eine Jugendherberge nicht unbequem?	aren't youth hostels a bit uncomfortable?
wir waren ein wenig an die Öffnungszeiten gebunden	we were a bit restricted by the opening times (normally German youth hostels stay open until 9.45 p.m.)
bei uns hat man eine Ausnahme gemacht	they made an exception for us
wir hatten einen Schnarcher dabei	we had a snorer in with us

Hören und Verstehen

Frau Schoppmann spricht mit der Herbergsmutter in der Jugendherberge von Göttingen und Herr Fiedler interviewt Herrn Albes, den Inhaber eines Göttinger Hotels.

Frau Häcker

Where do people sleep eight and ten to a room?
Can anybody stay at the youth hostel?
What does full board cost at the youth hostel?
When do youth-hostellers have to hire a sheet sleeping bag?
Why does every guest at the youth hostel have to wash up and make his own bed?

Frau Schoppmann	Ich bin in der Jugendherberge von Göttingen und spreche mit der Herbergsmutter, Frau Häcker. Wer darf bei Ihnen übernachten?
Frau Häcker	Eigentlich alle, aber sie müssen Mitglied der DJH sein.
Frau Schoppmann	Wie groß ist die Jugendherberge?
Frau Häcker	Wir haben dreiundzwanzig Zimmer, hundertzweiundvierzig Betten.
Frau Schoppmann	Kann man sich hier in den Schlafzimmern waschen?
Frau Häcker	Nein, wir haben Gemeinschaftswaschräume und dann haben wir unten im Keller Duschräume.

Frau Schoppmann	Was kostet hier eine Übernachtung?
Frau Häcker	Schüler und Studenten bezahlen 3 DM und alle anderen 4,70 DM.
Frau Schoppmann	Frau Häcker, kann man auch bei Ihnen essen?
Frau Häcker	Ja, eine Vollverpflegung kostet bei uns 7,50 DM.
Frau Schoppmann	Wie sind die Schlafräume ausgestattet?
Frau Häcker	Wir haben Acht- und Zehnbettzimmer. Die Betten haben Matratzen und Wolldecken. Die Kinder können sich Bettwäsche mitbringen oder hier einen Schlafsack leihen.
Frau Schoppmann	Frau Häcker, wieviel Personal haben Sie hier im Haus?
Frau Häcker	Wir haben nur vier Personen, und daher muß jeder Gast das Geschirr spülen und sein Bett machen.

Herr Albes

What do the three stars mean?
How much do single rooms and double rooms cost per night at the hotel?
What amenities does the hotel offer?

Herr Fiedler	Ich bin in Gebhards Hotel in Göttingen und spreche mit Herrn Albes, dem Inhaber des Hotels. Herr Albes, was für ein Hotel haben Sie?
Herr Albes	Im *Varta-Führer* haben wir drei Sterne.
Herr Fiedler	Und was bedeutet das?
Herr Albes	Das bedeutet ein Hotel mit gehobenem Komfort.
Herr Fiedler	Herr Albes, wie groß ist Ihr Hotel?
Herr Albes	Wir haben sechzig Zimmer mit neunzig Betten. Davon sind dreißig Einzelzimmer und dreißig Doppelzimmer.
Herr Fiedler	Wie sind Ihre Zimmer ausgestattet?
Herr Albes	In den meisten Zimmern gibt es Bad oder Dusche und WC. Alle Zimmer haben Telefon.
Herr Fiedler	Was kosten bei Ihnen die Zimmer, Herr Albes?
Herr Albes	Einzelzimmer gibt es von 31 bis 45 DM und Doppelzimmer haben wir von 60 bis 86 DM mit Frühstück.
Herr Fiedler	Wie teuer ist ein Mittagessen bei Ihnen, Herr Albes?
Herr Albes	Das Mittagsmenü kostet von 12 bis 16 DM.
Herr Fiedler	Herr Albes, haben Sie noch etwas für Ihre Gäste?
Herr Albes	Ja, wir haben ein Hallenschwimmbad für unsere Gäste und für die Autofahrer einen eigenen Parkplatz.

Überblick

How to ask where someone comes from:

wo kommen Sie her?	ich komme	aus Nienburg
	wir kommen	aus London

How to ask how someone is:

wie geht's wie geht es	Ihnen? Ihrem Mann/Vater/Sohn/Freund? Ihrer Frau/Mutter/Tochter/Familie/Freundin?

How to say how you are:

O danke,	ganz gut man lebt	
	ich bin wir sind	sehr zufrieden

es geht	uns mir	gut nicht sehr gut

ach, leider nicht sehr gut

How to answer the doctor's questions:

welche Beschwerden haben Sie?

ich habe	starke	Zahnschmerzen Kopfschmerzen
	einen Schnupfen	

mein	Kopf linkes Ohr rechter Fuß	tut	weh
meine	Zähne Füße	tun	

ich kann nichts	schmecken riechen hören

seit wann haben Sie diese Beschwerden?

seit	einem	Monat Jahr
	vierzehn Tagen	

How to ask someone what his journey was like, and some possible answers:

wie war denn Ihre Reise?	die Reise war (nicht) sehr gut / ganz normal / schlecht
hatten Sie eine gute Fahrt?	ja, danke nein, nicht sehr gut
waren die Züge pünktlich?	ja, die Züge waren (sehr) pünktlich
hatte der Zug Verspätung?	ja, (ungefähr) zehn Minuten (Verspätung)
mußten Sie während der Fahrt umsteigen?	ja, ich mußte in Hannover umsteigen
wie lange waren Sie unterwegs? wie lange dauert die Fahrt von X nach Y?	(ungefähr) zehn Stunden

How to ask someone what his accommodation is like, and some possible answers:

wie sind Sie untergebracht?

ich bin mit	dem Hotel der Unterbringung dem Zimmer	ganz sehr nicht	zufrieden

haben Sie gut geschlafen?	ja, sehr gut/ganz prima nein, nicht sehr gut

N.B. (ganz) prima tends to be used mainly by young people

How to ask if someone likes something:

wie gefällt Ihnen wie ist	das Hotel? das Essen?	ganz prima hervorragend (sehr) gut nicht sehr gut	es gefällt	mir uns	gut nicht

Übungen

1 You have been invited home by a new acquaintance in Germany and are on your best behaviour.

'Kommen Sie doch herein,'	says your host and you say thank you: ....
'Bitte nehmen Sie Platz.'	Say thank you in a different way: ....
'Wo sind Sie untergebracht?'	Say you are staying at the *Gasthof zum Löwen:* ....
'Wie gefällt Ihnen Ihr Zimmer?'	Say you are satisfied: ....
'Wie ist das Essen im Hotel?'	Say it's very good: ....
'Haben Sie dort gut geschlafen?'	Say very well: ....
'Wo kommen Sie denn her?'	Say where you live: ....
'Möchten Sie etwas trinken?'	Say you'd like a cup of coffee: ....
'Möchten Sie auch etwas essen?'	Refuse politely: ....

2 You are at a business meeting in Germany and are talking to a German counterpart. What did you ask him?

....?	O danke, es geht mir ganz gut.
....?	Meinem Mann/Meiner Frau geht es auch ganz gut.
....?	Die Reise war normal.
....?	Ja, die Züge waren sehr pünktlich.
....?	Ja, ich mußte einmal in Hannover umsteigen.
....?	Ich war ungefähr zwölf Stunden unterwegs.
....?	Das Hotel gefällt mir ganz gut.
....?	Das Essen ist hervorragend.

3 He asks you the same questions, but you weren't so lucky.

You aren't feeling well and your husband/wife isn't well either. You've had a bad journey, the trains were late, you had to change twice, in Hamburg and Hanover, and you were travelling for eighteen hours. You don't like the hotel and the food's not very good. Can he recommend a doctor and a good hotel?

4 You are in Germany with your husband/wife. You are enjoying yourself but he/she isn't. How would you complete the answers?

Wie geht es Ihnen?
Mir geht es ganz gut, aber meinem Mann/meiner Frau ....
Haben Sie gut geschlafen?
Ja, ich habe gut geschlafen, aber mein Mann/meine Frau ....
Gefällt Ihnen die Stadt?
Ja, mir gefällt sie sehr gut, aber..
Ist es Ihnen ruhig genug hier?
Also, mir ist es nicht zu ruhig, aber .... viel zu ruhig.
Sind Sie mit dem Hotel zufrieden?
Ich bin sehr zufrieden, aber ....
Schmeckt Ihnen das Essen?
Ja, mir schmeckt es ganz gut, aber ....

5 Herr Lange kommt mit seiner Familie in Salzburg an. Seine Tochter ist froh, in Österreich zu sein, aber er und seine Frau haben nach der langen Reise Kopfschmerzen. Die Züge waren sehr voll und in München hatte der Zug eine halbe Stunde Verspätung. Die Familie mußte zweimal umsteigen und war fünfzehn Stunden unterwegs.
Frau Venske und ihrer Familie geht es gut. Ihre Reise war ganz normal, die Züge waren sehr pünktlich und die Familie mußte nur einmal in Münster umsteigen. Sie war sechs Stunden unterwegs.
How would Herr Lange und Frau Venske answer the following questions on arrival?

Wie geht's?
Wie geht es Ihrer Familie?
Hatten Sie eine gute Fahrt?
Waren die Züge pünktlich?
Mußten Sie während der Fahrt umsteigen?
Wie lange waren Sie unterwegs?

6 While out shopping you bump into an acquaintance you haven't seen for a long time, and she asks after everyone. What did she ask?

....?
O danke, man lebt.
....?
Danke, mein Mann hat jetzt viel zu tun, aber er ist zufrieden.
....?
Danke, gut. Sie arbeitet jetzt in einer Apotheke.
....?
Sehr gut — er hat jetzt Schulferien.
....?
Unserem Baby? Das ist jetzt acht Jahre alt geworden!

7 Welche Beschwerden haben Sie?

....
....
....

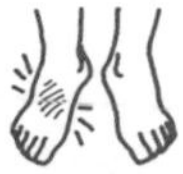

Wissenswertes

Where to stay in Germany

If you are prepared to rough it, you can stay at any of over 1,400 approved campsites in West Germany (contact the Camping Club of Great Britain and Ireland, 11 Lower Grosvenor Place, London, SW1 W0EY or Deutscher Camping Club, D 8 München 23, Mandelstraße 20; a free list of campsites is available from the German National Tourist Office—see page 46). You can also find cheap accommodation at youth hostels (contact Deutsche Jugendherbergen, D 493 Detmold 1, Bülowstraße 26 or the youth hostel headquarters in London, Edinburgh or Belfast). Many youth hostels now have family accommodation. It is often advisable to make reservations at youth hostels well ahead of your visit. If you can afford a little more comfort, you might try *ein Fremdenzimmer,* a room with "Bed and Breakfast" at a private house.

If you prefer to have still more comfort, the *Varta-Führer* gives a selection of all types of accommodation in West Germany ranging from luxury hotels to simple inns *(Gasthöfe)*. The prices mentioned, for example: zu 20–23 (at 20–23 DM), include breakfast, service and MWSt. *(Mehrwertssteuer* = VAT).

- Telefonnummer
- besonders angenehmes Haus
- ruhig
- Aussicht
- Zimmer mit Bad oder Dusche
- Konferenzzimmer
- Garage
- Liegewiese
- Schwimmbad im Freien
- Tennisplatz
- Reitpferde
- lobenswerte Küche
- besonders behaglich

8eZ Act Einzelzimmer
12DZ Zwölf Doppelzimmer

Steigenberger Hotel Sonnenhof
6 71, 54 Ez zu 43–50, 80 Dz zu 64–86; Lift 140 (mit WC) 60 P Terrasse Sauna (14 x 8 m) Solarium med. Bäder Trimm-Dich-Raum Kegelbahn Billard Kleingolf; Kinderspielzimmer und Kinderspielplatz; Menu 11–13

Zum Löwen
geschlossen im November, 2 29, in zwei Gästehäusern 10 Ez zu 34, 20 Dz zu 68; 30 (mit WC) teils 12+25+50 P (12 x 12 m, beheizt) Trimm-Dich-Raum Tischtennis zwei; seit 300 Jahren im Familienbesitz; Menu 11–14, Di geschlossen

Haus Iris
garni, Frühlingstr. 4, 9 01, 2 Ez zu 16, 5 Dz zu 26–32; 4 P

Tourist offices in many towns can also supply you with a local *Unterkunftsverzeichnis* (accommodation list) and for a small fee they will often also arrange accommodation for you. Whenever you write, it is advisable to enclose an International Reply Coupon, obtainable from most post offices. If you want to make your own booking, this is what you could write to book in advance, and it is always a good idea to ask for confirmation of the price as well:

Pension Seeblick
D 899 Lindau
Rosenheimer Straße 12

York, den 12. Juni 1975

Meine Frau und ich kommen am 4. September mit Freunden für drei Tage nach Lindau. Bitte reservieren Sie uns zu dem Zeitpunkt ein Doppelzimmer mit Bad oder Dusche und zwei Einzelzimmer mit Dusche. Ich bitte um Bestätigung dieser Reservierung unter Preisangabe.

Mit freundlichen Grüßen
G. M. Burnham

Wie mache ich das am besten?

How to ask for advice:

wie fahre ich wie komme ich	am besten am schnellsten am günstigsten	nach Hamburg?

How to give advice:

am besten am schnellsten	fahren Sie	mit dem Zug mit einem Taxi
am billigsten	nehmen Sie die Wochenendausflugskarte gehen Sie zu Fuß	

How to give a warning:

Vorsicht!	Der Kaffee ist heiß Da kommt ein Radfahrer

In Göttingen

1 *Auf dem Bahnhof*

Herr Schwarze Ich hätte gerne eine Auskunft. Ich möchte gerne am Wochenende nach Hamburg fahren. Wie fahre ich da am billigsten?

Herr Engelhardt Da nehmen Sie am besten die Wochenendausflugskarte für 34,40 DM. Die normale Rückfahrkarte kostet 68 DM.

Herr Schwarze Ich muß am Samstag um 12 Uhr da sein. Wann fahre ich da am besten von Göttingen ab?

Herr Engelhardt Dann nehmen Sie den Zug 8.41 Uhr. Sie sind um 11.49 Uhr in Hamburg.

Herr Schwarze Ja, danke, das paßt mir gut. Vielen Dank.

das paßt mir gut	that suits me fine

2 *Frau Meinhardt* Ich möchte morgen früh nach Braunschweig fahren. Wie komme ich am schnellsten hin?

Herr Engelhardt Am günstigsten, Sie fahren um 8.45 Uhr hier ab und sind um 10.47 Uhr in Braunschweig.

Frau Meinhardt Ja, das paßt mir gut. Ich möchte am späten Nachmittag zurückkommen. Wann gibt es da einen Zug?

Herr Engelhardt Vielleicht nehmen Sie den Zug um 17.48 Uhr, dann sind Sie um 19.22 Uhr in Göttingen.

Frau Meinhardt Und wann fährt der nächste Zug?

Herr Engelhardt Ein klein Momentchen bitte, da muß ich erst mal nachschauen. Der nächste Zug fährt um 20.12 Uhr von Braunschweig und ist um 22.27 Uhr in Göttingen. Da müssen Sie aber in Kreiensen umsteigen.

Frau Meinhardt Das macht nichts. Schönen Dank.

wie komme ich am schnellsten hin?	what's the quickest way to get there?
da muß ich erst mal nachschauen	I'll have to look that up first
das macht nichts	that doesn't matter

3 *Bei Dahnkes*

Herr Dahnke Hannelore, wir können nicht mit dem Auto fahren. Der Motor ist kaputt.

Frau Dahnke Was machen wir denn da? Wie kommen wir denn am schnellsten nach Reinhausen*?

Herr Dahnke Nehmen wir doch den Linienbus. Der fährt in einer Stunde.

*Reinhausen ist ein Dorf acht Kilometer südlich von Göttingen

4 *In Gebhards Hotel*

Herr Schwarze Entschuldigen Sie, ich bin mit dem Wagen hier und kann keinen Parkplatz finden. Wo kann ich hier wohl am besten parken?

Empfangsdame Unser Parkplatz ist hier links in der Seitenstraße.

Herr Schwarze Schönen Dank.

Empfangsdame Bitte schön.

5 *Bei der Polizei*

Herr Fiedler Wo parkt man am besten in Göttingen?

Herr Dierks In der Innenstadt kann man nur an wenigen Stellen parken. Man parkt am besten am Stadtrand und geht dann zu Fuß, oder man fährt dann mit dem Bus in die Stadt.

nur an wenigen Stellen	only in a few places

6 *Im Verkehrsverein im Rathaus*

Herr Fiedler Wie komme ich am besten zum Stadtmuseum?

Angestellte Wenn Sie aus dem Rathaus kommen, gehen Sie nach links in die Fußgängerzone. Am Ende der Fußgängerzone gehen Sie rechts in die Jüdenstraße. Nach ungefähr hundert Metern sehen Sie einen Wegweiser. Dort gehen Sie in den Ritterplan hinein. Dann finden Sie es gleich auf der linken Seite.

7 *Bei Manfred Schwarze*

Bärbel Du, Manfred, ich muß jetzt gleich nochmal in die Stadt gehen und mein blaues Kleid reinigen lassen. Wer macht das wohl am schnellsten?

Manfred Ich glaube, die Wäscherei in der Barfüßerstraße.

8 *In der Küche*

Bärbel Du, Manfred, die Soße ist jetzt fertig!

Manfred Fein! Soll ich sie rübertragen?

Bärbel O, Vorsicht! Sie ist ganz heiß.

Bärbel Stüker

9 *Bei Dahnkes*

Frau Dahnke So, ich habe Kaffee gekocht. Bitte schön, hier ist eine Tasse.

Vollrat Danke schön.

Frau Dahnke Aber Vorsicht! Der Kaffee ist sehr heiß.

ich habe Kaffee gekocht	I've made some coffee

10 *Frau Meinhardt und Christiane gehen einkaufen*

Frau Meinhardt Christiane, guck mal, da drüben ist ein Geschäft mit Puppen. Gehen wir doch mal rüber.

Christiane	Vorsicht Mami, da kommt ein Radfahrer!

guck mal	just look
gehen wir doch mal rüber	let's cross over

11

	Bei Meinhardts
Christiane	Mami?
Frau Meinhardt	Ja, was ist denn?
Christiane	Da ist doch das Bügeleisen, darf ich mal bügeln?
Frau Meinhardt	Ja, aber Vorsicht, Christianchen! Das Bügeleisen ist noch sehr heiß.

Hören und Verstehen

Frau Meinhardt interviewt Herrn Kinzel, Inspektor der Iduna-Versicherung in Göttingen. Frau Schoppmann spricht mit Herrn Gehrig, Ingenieur bei einer optischen Firma in Göttingen, über Unfallverhütung.

Herr Kinzel

What is dangerous about getting out of bed, getting into the shower and going out of the front door?
Why do women pile up tables and chairs?
Why is Christmas time particularly dangerous?

Frau Meinhardt	Herr Kinzel, was ist die häufigste Ursache für Unfälle im Haushalt?
Herr Kinzel	Die häufigste Ursache ist das Ausrutschen auf kleinen Teppichen.
Frau Meinhardt	Und wie passiert das?
Herr Kinzel	Zum Beispiel, man steigt schlaftrunken aus dem Bett und rutscht über dem Vorleger aus, oder man will in die Dusche und rutscht auf der Badematte aus. Auch vor der Wohnungstür liegen Vorleger, da rutscht man auch leicht aus.
Frau Meinhardt	Und was gibt es für weitere Ursachen für Unfälle?
Herr Kinzel	Zum Beispiel Gardinenaufhängen. Dafür stellen die Frauen Tische und Stühle übereinander; die stehen dann nicht sicher und dann fallen die Frauen runter.
Frau Meinhardt	Und was gibt es für andere Gefahren im Haushalt?
Herr Kinzel	Die Weihnachtszeit bringt immer eine große Feuergefahr. Wenn Kerzen ausbrennen, dann setzen sie leicht den Tannenbaum in Flammen.

Herr Gehrig

Why is Herr Gehrig always looking for danger?
What are the lenses cleaned with and why is it dangerous?
What does the firm do with its scrap paper and faulty lenses?
What made the paper burst into flames?

Frau Schoppmann	Herr Gehrig, was sind Sie von Beruf?
Herr Gehrig	Ich bin Sicherheitsfachkraft in einer optischen Firma in Göttingen und bin für die Unfallverhütung verantwortlich.
Frau Schoppmann	Was haben Sie da für Probleme?
Herr Gehrig	Ein Teil der Arbeit ist das Putzen der Linsen mit Äther.
Frau Schoppmann	Was ist daran so gefährlich?
Herr Gehrig	Wenn zu viel Äther in der Luft ist, kann es eine Explosion geben. In diesem Raum dürfen die Frauen nicht rauchen und kein Streichholz anzünden.
Frau Schoppmann	Hat es schon mal einen Brand bei Ihnen gegeben?
Herr Gehrig	Ja, aber einen sehr kleinen.
Frau Schoppmann	Was ist da passiert?
Herr Gehrig	Draußen haben wir einen Container stehen. In diesem Container sammeln wir Altpapier und schlechte Linsen. Einmal hat eine Linse auf dem Papier gelegen. Durch diese Linse hat die Sonne geschienen und hat das Papier entzündet.

Überblick

You already know how to ask:

wo kann ich parken?
wann fahre ich ab?
wie komme ich zum Bahnhof?
wer entwickelt Farbfilme?

Now you can ask for more specific advice:

wo kann ich	am besten	parken?
wann fahre ich		ab?

wie komme ich	am schnellsten	zum Bahnhof?
wer entwickelt	am billigsten	Farbfilme?

How to give advice:

am besten	parken Sie	am Stadtrand
am günstigsten	nehmen Sie	den Zug um 11.30 Uhr
am schnellsten	fahren Sie	mit dem Inter-City
am billigsten	kaufen Sie	im Supermarkt ein

zum Beispiel:

Wo kann ich hier am billigsten übernachten?
  Billig ist ein Fremdenzimmer, aber am billigsten übernachten Sie wohl in der Jugendherberge.
Wie fahre ich am schnellsten nach München?
  Mit dem TEE fahren Sie sehr schnell, aber am schnellsten kommen Sie mit dem Flugzeug nach München.

How to give a warning:

Vorsicht!	Das Bügeleisen ist sehr heiß
	Da kommt ein Auto

Übungen

1 Sort out the following muddle.

1 Wo parkt man hier am besten?	zu Fuß
2 Wie komme ich am schnellsten nach Salzburg?	mit einem Taxi
3 Wie komme ich am billigsten zum Bahnhof?	in der DJH
4 Wie komme ich am schnellsten zum Bahnhof?	mit dem Flugzeug
5 Wo können wir am billigsten übernachten?	auf dem Parkplatz da drüben
6 Wo bleibt man am besten, wenn man krank ist?	unser Schuhmacher
7 Wo läuft man am besten Ski?	im Bett
8 Wer repariert am schnellsten diese Tasche?	in der Schweiz

2 Below you find instructions on how to go from the *Rathaus* to various places in Göttingen. Work out from the map where you wanted to go to, and then say what the question was, using dialogue 6 of this chapter as a model.

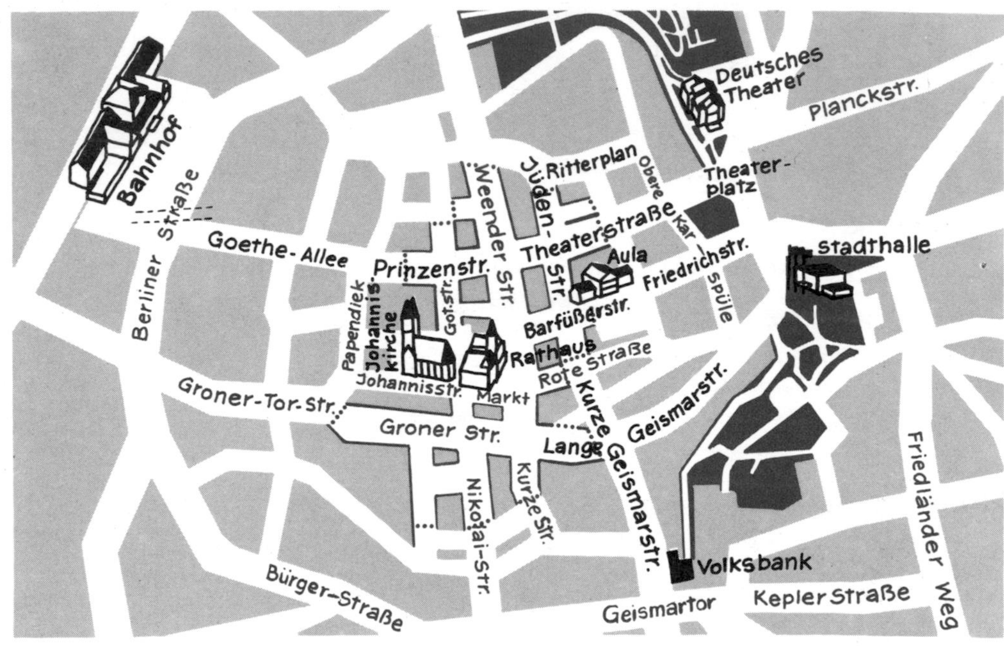

Wie.......................................?
Wenn Sie aus dem Rathaus kommen, gehen Sie nach links in die Fußgängerzone. Die erste Straße rechts ab ist die Barfüßerstraße, in die gehen Sie hinein. Dann kommen Sie links an der Aula der Universität vorbei, und dann in die Friedrichstraße. Und am Ende der Friedrichstraße schauen Sie bitte nach rechts—dort ist sie gleich.

....?
Wenn Sie aus dem Rathaus kommen, gehen Sie nach links in die Fußgängerzone. Die zweite Straße rechts ab ist die Theaterstraße. In die gehen Sie hinein, bis zum Ende, dort kommen Sie auf einen Platz mit wunderschönen Blumen, und gleich links sehen Sie es.

....?
Wenn Sie aus dem Rathaus kommen, gehen Sie nach links in die Fußgängerzone. Die erste Straße links ist die Prinzenstraße, dort sehen Sie einen Wegweiser. Sie gehen in die Prinzenstraße hinein, kommen dann in die Goethe-Allee. Am Ende der Goethe-Allee gehen Sie in einen Fußgängertunnel, dann sind Sie schon da.

....?
Wenn Sie aus dem Rathaus kommen, gehen Sie nach rechts in die Fußgängerzone, dann gleich links in die Lange Geismarstraße und gleich wieder rechts in die Kurze Geismarstraße. Dort gehen Sie geradeaus bis zum Geismartor. Auf der linken Seite sehen Sie ein großes Gebäude. Das ist es.
....?
Das ist ganz einfach. Gehen Sie rechts oder links um das Rathaus herum. Dort sehen Sie es gleich.

3 You have a very helpful back-seat driver who is keeping an eye on the traffic signs. Which of his warnings correspond to which signs?

1 Vorsicht! Jetzt dürfen Sie nur 60 km fahren.
2 Vorsicht! Hier müssen Sie links abbiegen.
3 Vorsicht! Da vorne ist eine Baustelle.
4 Vorsicht! Jetzt kommt eine Doppelkurve.
5 Vorsicht! Hier dürfen Sie nicht überholen.
6 Vorsicht! Gegenverkehr.
7 Vorsicht! Da dürfen Sie nicht hineinfahren.
8 Vorsicht! Da ist ein Zebrastreifen.

a b c d e f g h
60 km

4 Und jetzt antworten SIE!

Wo kann ich hier parken?
Am besten parken Sie im Parkhaus dort drüben.
Wo kann ich hier billig essen?
.... in der Imbißstube gegenüber.
Wo kann ich hier billig übernachten?
.... in einem Fremdenzimmer.
Wie fahre ich schnell nach Hamburg?
.... mit dem TEE.

5 Sie möchten nach München fahren und dort ins Theater gehen: was fragen Sie?

Wie ....?
Am günstigsten fahren Sie über Ulm—das kostet weniger.
Wann ....?
Am besten fahren Sie um 12.45 Uhr ab.
Wie ....?
Zum Residenztheater? Da fahren Sie am besten mit der Linie eins oder einundzwanzig.
Wie ....?
Am schnellsten kommen Sie mit einem Taxi zum Bahnhof.

6 What advice would you give to a visitor to your own town?

Wo kaufe ich hier am besten frisches Brot?	Am besten im Supermarkt.
Wo kaufe ich hier am billigsten Gemüse?	....
Wo übernachte ich hier am günstigsten?	....
Wer entwickelt hier am schnellsten Filme?	....
Wo kann man hier am besten tanzen?	....
Wo parkt man am besten in der Innenstadt?	....
Wo trinkt man hier am besten Kaffee?	....

Wissenswertes

Jederzeit Sicherheit

The accident rate in the Bundesrepublik is high: 528,242 people were injured in traffic accidents in 1972 and an estimated 2 million suffered accidents at home or while engaged in sports and leisure activities. The major cause of domestic accidents was slipping on small mats (over 80 per cent of the cases, while accidents involving gas or electricity accounted for only two per cent).

To increase awareness of safety at home, on the road and at work, the *Bundesministerium für das Post- und Fernmeldewesen* has issued a series of stamps bearing the title

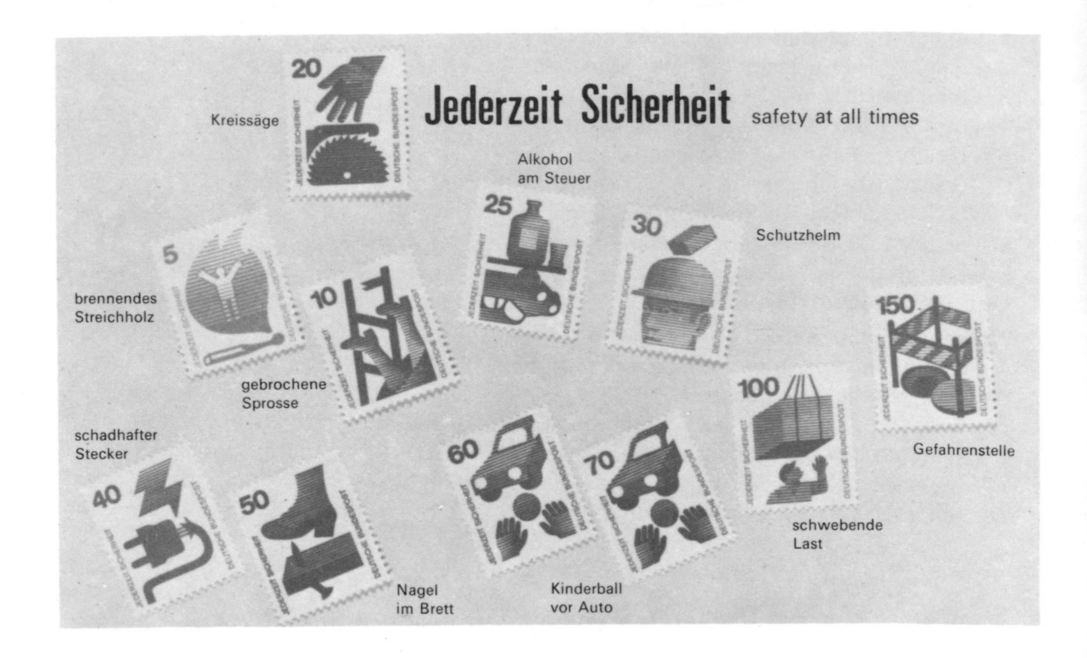

In the same year (1972) more accidents happened in factories than in both categories combined: 3,249,978. In an attempt to combat such a high accident rate there is a legal requirement that all large factories have a full time accident-prevention officer; some 70,000 now exist. One of their tasks is the placing of signs warning people of danger. In view of the large numbers of *Gastarbeiter* who work in German factories but often do not speak German very well, these signs do without language as far as possible, but often German is necessary and one word that any visitor to any of the German-speaking countries should learn rapidly is *Vorsicht*!, which is sometimes accompanied on signs by *Lebensgefahr* (lit.: "danger of death").

Vorsicht!
Frisch gebohnert

Danger Slippery Floor

Danger High Voltage

Vorsicht!
Baustelle

Danger Men at Work

ACHT 8

Was ist Ihre Lieblingssendung?

How to talk about the way you spend your spare time:

gehen Sie gern | ins Kino? / ins Theater?
hören Sie gern Radio?
sehen Sie gern fern?
sind Sie sportlich aktiv?

In Göttingen

1 *Herr und Frau Dahnke gehen gern ins Theater*

Frau Schoppmann Herr Dahnke, gehen Sie regelmäßig ins Theater?

Herr Dahnke Ja, meine Frau und ich haben ein Abonnement im Deutschen Theater und von Zeit zu Zeit hat meine Frau Bereitschaftsdienst als Rotkreuzhelferin im Theater.

Frau Schoppmann Und was haben Sie in letzter Zeit gesehen?

Ja, ich habe *Androklus und der Löwe*[1] und Schillers *Räuber*[2] gesehen.

in letzter Zeit	recently
hat Bereitschaftsdienst als Rotkreuzhelferin	is the Red Cross attendant at the First Aid post

[1] see note on page 39

[2] *Die Räuber,* a revolutionary play by Friedrich von Schiller first produced in 1782

2 *Frau Wallmann hört gern Radio*

Herr Schwarze Frau Wallmann, gehen Sie gern ins Kino?

Frau Wallmann Nur sehr selten.

Herr Schwarze Warum so selten?

Frau Wallmann Die Kinos in Göttingen liegen so weit von meiner Wohnung entfernt.

Herr Schwarze Hören Sie denn gern Radio?

Frau Wallmann Ja, sehr gerne.

Herr Schwarze Und welche Sendungen?

Frau Wallmann Am liebsten Volksmusik, das heißt, Singen von Volksliedern, und klassische Musik.

so weit von meiner Wohnung entfernt	such a long way from my flat

3 *Frau Häcker, die Herbergsmutter, hört auch gern Radio*

Frau Schoppmann Frau Häcker, hören Sie gern Radio?

Frau Häcker Ja, vor allem Musiksendungen, Schlager. Bei uns im Haus läuft das Radio von morgens bis abends.

Frau Schoppmann Sehen Sie auch gern fern?

Frau Häcker	Ja, aber im Sommer weniger—da sind wir meistens mit den Gästen zusammen.
Frau Schoppmann	Und wie ist es im Winter?
Frau Häcker	Ja, da sehen wir etwas mehr fern.
Frau Schoppmann	Und was sehen Sie da gern?
Frau Häcker	Die *Tagesschau*[3] und Kriminalfilme.
Frau Schoppmann	Haben Sie da Lieblingssendungen?
Frau Häcker	Ja, *der Kommissar.*[4]

[3] a news programme similar to *Nationwide*

[4] a detective series

4

Herr Meinholz sieht gern Dokumentarfilme

Frau Meinhardt	Herr Meinholz, haben Sie einen Fernseher?
Herr Meinholz	Ja, ich habe einen Farbfernseher.
Frau Meinhardt	Was ist Ihre Lieblingssendung, Herr Meinholz?
Herr Meinholz	*Im Reich der wilden Tiere.*[5]
Frau Meinhardt	Was ist das für eine Sendung?
Herr Meinholz	Das sind Dokumentarfilme über wilde Tiere im Ausland.

[5] a series rather like *The World About Us*, presented by Prof. Grzimek

In Benniehausen

5

Herr Sohl sieht gerne Monitor

Frau Schoppmann	Herr Sohl, haben Sie einen Fernseher?
Herr Sohl	Ja, wir haben einen Fernseher.
Frau Schoppmann	Was ist Ihre Lieblingssendung?
Herr Sohl	Ich sehe gerne *Monitor.*[6] Das ist ein Bericht über aktuelle politische Ereignisse.

[6] a fortnightly news programme rather like *Panorama*

In Göttingen

6

Frau Swart sieht viele politische Sendungen

Herr Fiedler	Frau Swart, hören Sie lieber Radio oder sehen Sie lieber fern?
Frau Swart	Früher habe ich nur Radio gehört, aber jetzt sehe ich auch fern.
Herr Fiedler	Welche Sendungen sehen Sie gern?
Frau Swart	Die 19 Uhr Nachrichten, die 20 Uhr Nachrichten, die Kommentare, Krimis und auch mal ein nettes Lustspiel.
Herr Fiedler	Sehen Sie auch politische Sendungen?
Frau Swart	Ja, *Monitor, ZDF-Magazin*[7] und besonders *Journalisten fragen, Politiker antworten.*[8] Die Journalisten fragen so klug und die Politiker lügen dann so schön.

[7] a fortnightly current affairs programme with a strong right-wing bias

[8] a monthly programme confronting leading politicians with leading journalists

7

Herr Dahnke sieht auch fern

Frau Schoppmann	Herr Dahnke, sehen Sie oft fern?
Herr Dahnke	Ja, eigentlich schon.
Frau Schoppmann	Und was sind Ihre Lieblingssendungen?

Herr Dahnke Am liebsten sehe ich große Fußballspiele und klassische Theaterstücke im Fernsehen. Gestern habe ich das Spiel Bayern-München gegen die russische Mannschaft aus Erevan gesehen.
Frau Schoppmann Und wer hat gewonnen?
Herr Dahnke Die Mannschaft aus München hat Zwei zu Null gewonnen.

eigentlich schon	yes, I do, actually
wer hat gewonnen?	who won?
Zwei zu Null	two-nil

8 *Polizeiobermeister Klinge ist Schütze*

Herr Schwarze Herr Klinge, hören Sie gern Radio?
Herr Klinge Nein, nicht sehr oft.
Herr Schwarze Sind Sie sportlich aktiv, Herr Klinge?
Herr Klinge Ja, ich bin Schütze.
Herr Schwarze Wie oft schießen Sie denn da?
Herr Klinge Das ist sehr unterschiedlich, aber meistens einmal in der Woche.
Herr Schwarze Haben Sie eigene Waffen?
Herr Klinge Ja, ich habe drei eigene Gewehre.

sind Sie sportlich aktiv?	do you play any sports?
das ist sehr unterschiedlich	that varies quite a bit

9 *Bärbel Stüker schwimmt gern und spielt Tennis*

Herr Fiedler Fräulein Stüker, sind Sie sportlich aktiv?
Frl. Stüker Ja, ich schwimme gerne und spiele auch sehr gern Tennis.
Herr Fiedler Wie oft schwimmen Sie?
Frl. Stüker Einmal in der Woche gehe ich mit Freunden ins Hallenbad.
Herr Fiedler Fräulein Stüker, wann spielen Sie Tennis?
Frl. Stüker Wenn möglich, spiele ich am Wochenende Tennis.
Herr Fiedler Sind Sie in einem Verein?
Frl. Stüker Nein, ich bin in keinem Verein, ich spiele nur mit Bekannten

Hören und Verstehen

Frau Klie wohnt in Göttingen. Sie ist eine alte Dame von einundachtzig Jahren und ist seit zehn Jahren Witwe.

Frau Klie

Does Frau Klie listen to the radio in the evening?
What has she been doing at noon on Sunday for the last 20 years?
One of her favourite programmes was produced in Britain. Which is it?
How did people listen to the radio 50 years ago?
What does Frau Klie do for one hour every morning in the winter and two hours every morning in the summer?
Does Frau Klie listen only to German broadcasts?

Herr Schwarze	Was machen Sie denn lieber, Frau Klie: Radiohören oder lieber Fernsehen?
Frau Klie	Morgens früh höre ich erst Radio — und abends Fernsehen.
Herr Schwarze	Welche Sendungen sehen Sie am liebsten, Frau Klie?
Frau Klie	Am liebsten den *Internationalen Frühschoppen.* Das ist eine Diskussionsrunde mit Journalisten aus verschiedenen Ländern.
Herr Schwarze	Wie oft sehen Sie diese Sendung?
Frau Klie	Die erscheint jeden Sonntagmorgen um 12 Uhr.
Herr Schwarze	Worüber reden die Journalisten in dieser Sendung, Frau Klie?
Frau Klie	Über politische Ereignisse der letzten Woche.
Herr Schwarze	Wie lange sehen Sie diese Sendung schon?
Frau Klie	Seit zwanzig Jahren.
Herr Schwarze	Sehen Sie auch noch andere Sendungen?
Frau Klie	Ja, ich sehe gern gute Filme, zum Beispiel die *Forsyte Saga*.
Herr Schwarze	Wie lange hören Sie schon Radio?
Frau Klie	Seit über fünfzig Jahren.
Herr Schwarze	Gab es damals schon Lautsprecher?
Frau Klie	Nein. Wir haben zuerst nur mit Kopfhörer gehört.
Herr Schwarze	Was für Programme hat es damals gegeben, Frau Klie?
Frau Klie	Nachrichten, musikalische Sendungen, aktuelle Sendungen . . .
Herr Schwarze	Und welche Sendungen haben Sie davon am liebsten gehört?
Frau Klie	Vor allem politische Sendungen.
Herr Schwarze	Hören Sie auch heute noch gerne Radio?
Frau Klie	Ja.
Herr Schwarze	Wie lange hören Sie täglich Radio, Frau Klie?
Frau Klie	Im Winter von 8 bis 9, aber im Sommer schon von 7 bis 9.
Herr Schwarze	Was sind das für Sendungen, Frau Klie?
Frau Klie	Morgens früh erst die Nachrichten und nachher die *Presseschau*, die muß ich hören.
Herr Schwarze	Hören Sie nur deutsche Sendungen?
Frau Klie	Nein, ich höre deutsche, und ich höre auch englische—BBC.

Überblick

How to ask what people do in their spare time:

was machen Sie in Ihrer Freizeit?

hören Sie gern Radio?

sehen Sie | oft / gern | fern?

gehen Sie gern | ins Theater? / ins Kino?

sind Sie sportlich aktiv?

And some likely answers:

ja, (sehr) gern

nein, | nicht sehr oft / nur (sehr) selten

ja, ich | höre gern Radio / sehe gern fern / gehe gern | ins Theater / ins Kino / spiele gern | Tennis / Golf

How to ask which programmes they like:

welche Sendungen	hören Sie gern? sehen Sie regelmäßig?	

And some likely answers:

am liebsten höre ich klassische Musik
vor allem sehe ich Kriminalfilme

was	ist Ihre Lieblingssendung? sind Ihre Lieblingssendungen?

How to ask how frequently they do so:

wie oft	spielen Sie Tennis? sehen Sie fern?

And some possible answers:

das ist sehr unterschiedlich
(nicht) sehr oft
jeden Tag/Abend
(meistens) einmal in der Woche
(nur) am Wochenende

Übungen

1 This is how the following people like to spend their spare time:

Frau Wallmann hört sehr gerne Radio und seit sechs Monaten hat sie auch einen Fernsehapparat. Sie sieht regelmäßig die *Tagesschau,* aber am liebsten sieht sie Kriminalfilme. Sie geht sehr selten ins Kino und fast nie ins Theater.
Herr Motel geht sehr selten ins Kino, aber mit seiner Frau geht er sehr viel ins Theater. Sie haben ein Abonnement. Motels haben einen Fernsehapparat und sie hören auch ziemlich oft Radio. Am liebsten hören sie klassische Musik.
Frau Dahnke hört gerne Radio, aber nicht sehr oft—sie sieht lieber fern. Für ihren Vater, ihren Mann und ihren Sohn muß sie immer sehr viel Näharbeiten machen und dabei sieht sie sich sehr gerne Musiksendungen an. Sie geht nicht sehr oft ins Kino, aber regelmäßig ins Deutsche Theater mit ihrem Mann. Dort haben sie ein Abonnement.
Herr Schwarze geht nur sehr selten ins Theater, aber ziemlich oft ins Kino. Er sieht nicht sehr oft fern. Am liebsten sieht er politische Sendungen oder Krimis. Beim Autofahren hort er gern Musiksendungen.
Frau Swart hört gerne Symphoniekonzerte im Radio, aber am Abend sieht sie lieber fern, besonders politische Sendungen. Ins Kino geht sie fast nie, aber sehr häufig ins Deutsche Theater.

Now answer these questions for them:

Gehen Sie gern ins Kino?
Wie oft gehen Sie ins Theater?
Hören Sie gern Radio?
Haben Sie einen Fernseher?
Was ist Ihre Lieblingssendung?

2 What do the following people like?

Frau Wallmann hört sehr gern KOMIKSLUVS
Frau Häcker hört gern CRALEGHS
Frau Häcker sieht gern MERKLIFLINIAM
Herr Sohls Lieblingssendung heißt INTOROM
Herr Dahnke sieht am liebsten FLIESPULLEBASS
Frau Swart sieht gern die NICHTERNACH

3 Kreuzworträtsel

Waagerecht (across)

1 Herr Klinge hört nicht sehr .... Radio.

5 Herr Sohl sieht .... *Monitor.*

7 Frau Wallmann hört sehr gern ....

8 Frau Häcker hört gern ....

9 Frau Swart sieht gern ....

Senkrecht (down)

2 Herr Dahnke geht regelmäßig ins ....

3 Frau Wallmann geht nur selten ins ....

4 Die Lieblingssendung von Herrn Meinholz heißt *Im ...... der wilden Tiere.*

6 Frau Wallmann hört sehr gern klassische ....

4 Bitte ankreuzen! (please tick what applies to you)

Ich gehe gern
- ins Kino ☐
- ins Theater ☐
- in die Oper ☐
- ins Restaurant ☐

Ich
- höre lieber Radio ☐
- sehe lieber fern ☐

Ich höre lieber
- Volksmusik ☐
- klassische Musik ☐
- Schlager ☐

Ich sehe lieber
- Sportsendungen ☐
- politische Sendungen ☐
- Kriminalfilme ☐

Am liebsten
- höre ich Radio ☐
- sehe ich fern ☐
- lese ich Bücher ☐
- gehe ich spazieren ☐
- gehe ich tanzen ☐
- faulenze ich ☐

5 Sind Sie sportlich aktiv?

How would the following people answer this question?

Franz	einmal in der Woche	Ich gehe einmal in der Woche schwimmen.
Hans	ziemlich oft	....
Inge	regelmäßig	....
Harald	jeden Sonntag	....
Monika	jeden Winter	....
Ingrid	einmal im Monat	....
Horst	jedes Wochenende	....
Herbert	sehr oft	....
Helga		....

Wissenswertes

Freizeit in der Bundesrepublik

The old saying: 'Die Deutschen leben nur, um zu arbeiten' is no longer true. Until 1970 the working population was believed to spend more time at work than on leisure. Since then the trend seems to have been reversed.

In smaller towns and rural areas club membership is thriving. A great number of clubs such as *Gesangvereine* (choirs), *Kegelklubs* (bowling clubs), *Schützenvereine* (rifle clubs) provide entertainment and relaxation. In large towns people feel less inclined to join clubs—only a third of all Germans go in for organised activities with organised groups or associations. The others' main leisure pursuit is watching TV.

Ten years ago only 48 per cent of German households owned a television set. Today this figure has risen to 93 per cent. Imported American thrillers and crime series such as *Cannon* or *Colombo* and the German series *Der Kommissar* reach the highest number of viewers. Sports events are not nearly so popular and the current affairs programme *Internationaler Frühschoppen* attracts a mere ten per cent of viewers.

Sonntag — 1.Programm

10.45 Die Vorschau
11.00 ARD-Ratgeber: Auto und Verkehr
11.30 Elf ½. Kinderprogramm
12.00 Der Internationale Frühschoppen
12.45 Tagesschau – Wochenspiegel

Donnerstag — 2.Programm

21.15 Journalisten fragen – Politiker antworten. Teilnehmer: Bundeskanzler Helmut Schmidt, stellv. Bundesvorsitzender der SPD, Ministerpräsident Dr. Helmut Kohl, Bundesvorsitzender der CDU, Dr. Franz Josef Strauß, Vorsitzender der CSU, Bundesaußenminister Hans-Dietrich Genscher, Bundesvorsitzender der FDP, Hans Reiser, Süddeutsche Zeitung, Dr. Wolfgang Wagner, Hannoversche Allgemeine Zeitung. Gesprächsleitung: Jürgen Lorenz.

Freitag — 2.Programm

18.35 Zwei Herren dick und doof. Ein lästiger Krebs in der Hose (s/w)
19.00 Heute
19.30 Auslandsjournal. ZDF-Korrespondenten berichten aus aller Welt
20.15 Der Kommissar. Kriminalserie von Herbert Reinecker. Der Mord an Dr. Winter (s/w)
21.15 Heute
21.30 Unterwegs zum Frieden: **Kurze tausend Jahre.** Fernsehfilm von Ernst Hinterberger
23.00 Sport am Freitag
23.30 Heute

ZDF *(Zweites Deutsches Fernsehen)* is a nationwide television network. Its headquarters are located in Mainz and it has some 90 transmitters.

ARD *(Arbeitsgemeinschaft der öffentlich-rechtlichen Rundfunkanstalten der Bundesrepublik Deutschland)* is a cooperative body uniting all the regional stations.

There is no commercial television in the BRD, but both networks carry a small amount of advertising each day.

Television has become a formidable competitor to radio, cinema and theatre. The average person now goes to the cinema only three times a year, and theatre attendance is going steadily down. In fact, in 1974 only five per cent of the population in the BRD went to the theatre regularly. While things have become a little more informal in recent years, going to the theatre in Germany is still often an occasion for dressing up. Many people do the same as Herr Dahnke and Herr Motel and take out an *Abonnement,* a subscription which entitles the owner to attend one performance of each play during the season. Like most other German theatres, the *Deutsches Theater* tends to perform a large number of foreign plays, especially plays originally written in English.

NEUN 9 Was haben Sie vor?

How to ask about someone's intentions and express your own:

was wollen Sie machen? was haben Sie vor?	ich möchte in die DDR fahren ich will meinen Bruder besuchen wir haben nichts vor

In Benniehausen

1 *In der Bäckerei Sohl*

Frau Schoppmann Herr Sohl, wie lange sind Sie schon Bäckermeister in Benniehausen?

Herr Sohl Ich führe den Betrieb seit 1958, aber mein Vater hat die Bäckerei hier in Benniehausen schon 1922 gegründet.

Frau Schoppmann Will Ihr Sohn auch Bäcker werden?

Herr Sohl Nein, das will er nicht. Er hat kein Interesse am Beruf.

Frau Schoppmann Und warum nicht?

Herr Sohl Es ist ihm zu viel Arbeit. Ich muß morgens früh backen und am Tage in anderen Orten meine Backwaren verkaufen.

ich führe den Betrieb seit 1958	I've been running the business since 1958
hat die Bäckerei schon 1922 gegründet	founded the bakery in 1922
er hat kein Interesse am Beruf	he's not interested in the trade
es ist ihm zu viel Arbeit	he thinks the work's too hard

In Göttingen

2 *Bei der Polizei*

Herr Schwarze Herr Klinge, Sie sind bei der Polizei in Göttingen. Was ist da Ihre Aufgabe?

Herr Klinge Ja, ich bin im Verkehrsdienst tätig und zur Zeit arbeite ich im Büro.

Herr Schwarze Haben Sie das schon immer gemacht?

Herr Klinge Nein, ich war früher drei Jahre im Streifendienst tätig.

Herr Schwarze Wollen Sie immer im Bürodienst bleiben?

Herr Klinge Nein, ich möchte wieder zurück zum Streifendienst—ich fühle mich noch ein bißchen zu jung zum Bürodienst.

ich bin im Verkehrsdienst tätig	I work in the Traffic Department
haben Sie das schon immer gemacht?	have you always done that?
ich fühle mich ein bißchen zu jung zum Bürodienst	I think I'm a bit too young for administrative work

3 *In Gebhards Hotel*

Gast	Guten Tag!
Empfangsdame	Guten Tag!
Gast	Haben Sie noch ein Einzelzimmer frei?
Empfangsdame	Ja. Soll es mit Dusche oder Bad sein?
Gast	Mit Dusche, bitte.
Empfangsdame	Mit Dusche, ja. Und wie lange wollen Sie bleiben?
Gast	Ich möchte gerne vier Tage bleiben.
Empfangsdame	Ja, das geht.

4 *Frau Meinhardt ruft das Reisebüro an*

Angestellter	Reisebüro Uhlendorff, guten Tag!
Frau Meinhardt	Guten Tag, hier Meinhardt. Ich habe Ihren Reiseprospekt vor mir liegen und möchte eine Reise buchen.
Angestellter	Wo wollen Sie denn hinfahren?
Frau Meinhardt	Wir wollen nach Österreich und zwar nach Vent.
Angestellter	Wollen Sie in einer Pension oder in einem Hotel übernachten?
Frau Meinhardt	Hier steht "Pension Alpenrose", das klingt so nett—da möchten wir gern wohnen.
Angestellter	Wollen Sie ein Zimmer mit fließend warmem Wasser oder mit Dusche?
Frau Meinhardt	Wir brauchen mehrere Zimmer. Geben Sie mir doch bitte zwei Doppelzimmer mit fließend Warmwasser und ein Zimmer mit Dusche und WC.
Angestellter	Und wann möchten Sie hinfahren?
Frau Meinhardt	Am fünfzehnten dritten.
Angestellter	Und wie lange wollen Sie bleiben?
Frau Meinhardt	Zwei Wochen.
Angestellter	Moment bitte, ich sehe mal nach.
Frau Meinhardt	Gut.
Angestellter	Ja, das geht in Ordnung.

das geht in Ordnung	that's all right

5 *Im Rathaus*

Herr Fiedler	Herr Motel, wieviel Urlaubstage haben Sie im Jahr?
Herr Motel	Ich habe siebenundzwanzig Urlaubstage, das sind mehr als fünf Wochen.
Herr Fiedler	Was machen Sie in Ihrem Urlaub?
Herr Motel	Das ist ganz verschieden. Im Jahr 1972 sind wir zu Weihnachten auf die Philippinen geflogen, über Bangkok, Hong Kong, zu unserer Tochter und zu ihrer Familie. Das war unsere schönste Urlaubsreise.
Herr Fiedler	Wollen Sie noch einmal dort hinfahren?
Herr Motel	Ja, wir möchten Weihnachten 1976 noch einmal dahin fliegen.
Herr Fiedler	Wollen Sie beim nächsten Mal wieder über Ostasien fliegen, Herr Motel?
Herr Motel	Nein, lieber nicht. Wir beabsichtigen, über Kalifornien—Hawaii zu fliegen.
Herr Fiedler	Und wie lange wollen Sie dort bleiben?
Herr Motel	Wir möchten wieder zwei Monate dort bleiben, in Asien.

sind wir auf die Philippinen geflogen	we flew to the Philippines

6 *Bei Dahnkes*

Frau Schoppmann	Herr Dahnke, wieviel Urlaub bekommen Sie im Jahr?
Herr Dahnke	Ich habe dreißig Tage Urlaub.
Frau Schoppmann	Und machen Sie auch zu Weihnachten Urlaub?
Herr Dahnke	Ja, ich möchte in die DDR fahren.
Frau Schoppmann	Und was haben Sie dort vor?
Herr Dahnke	Ich will meinen Bruder und meine beiden Schwestern dort besuchen.
Frau Schoppmann	Wann wollen Sie fahren?
Herr Dahnke	Ich möchte am 26. Dezember fahren.
Frau Schoppmann	Und wie lange bleiben Sie dort?
Herr Dahnke	Ich werde voraussichtlich vier Tage bleiben.
Frau Schoppmann	Wie wollen Sie fahren?
Herr Dahnke	Ich fahre mit dem Auto über die Zonengrenze bei Duderstadt.

DDR (Deutsche Demokratische Republik)	German Democratic Republic
ich werde voraussichtlich vier Tage bleiben	I shall probably stay four days

Hören und Verstehen

Frau Dahnke erzählt Herrn Schwarze über ihre Arbeit beim Roten Kreuz.

Hannelore Dahnke

Does Frau Dahnke train people only in First Aid?
How does the Red Cross help people who want to get a driving licence?
Why do magicians go to Reinhausen?
Who goes for outings on summer afternoons?
What will the army be doing for Christmas in Reinhausen?
When will the Reinhausen schoolchildren be performing a fairy tale?

Reinhausen ist ein Dorf acht Kilometer südlich von Göttingen

Herr Schwarze	Frau Dahnke, was machen Sie in Ihrer Freizeit?
Frau Dahnke	Ich arbeite freiwillig im Deutschen Roten Kreuz.
Herr Schwarze	Was machen Sie beim Roten Kreuz, Frau Dahnke?
Frau Dahnke	Wir bilden Leute in der Ersten Hilfe aus.
Herr Schwarze	Was für Leute kommen zu Ihnen?
Frau Dahnke	Meistens sind es Leute, die den Führerschein machen wollen.
Herr Schwarze	Warum kommen diese Leute zu Ihnen?
Frau Dahnke	In der Bundesrepublik muß man einen Erste-Hilfe Kursus machen, bevor man die Fahrprüfung machen darf.
Herr Schwarze	Was haben Sie sonst noch für Aufgaben?
Frau Dahnke	Ich arbeite im Sanitätsdienst und im Sozialdienst.
Herr Schwarze	Frau Dahnke, was bedeutet eigentlich Sanitätsdienst?

Frau Dahnke	Sanitätsdienst bedeutet Erste Hilfe. Ich gehe auf die Erste-Hilfe Station ins Theater, auf die Sportplätze und in Versammlungen.
Herr Schwarze	Was machen Sie im Sozialdienst?
Frau Dahnke	Ich leite den Altenklub in Reinhausen.
Herr Schwarze	Frau Dahnke, wie oft treffen sich die alten Leute im Altenklub?
Frau Dahnke	Einmal im Monat.
Herr Schwarze	Und was machen Sie da?
Frau Dahnke	Wir trinken Kaffee, wir singen, wir treiben Gymnastik, wir sehen Zauberkünstler, und im Sommer machen wir nachmittags Kaffeefahrten.
Herr Schwarze	Haben Sie in den nächsten Tagen etwas Besonderes vor?
Frau Dahnke	Ja, wir wollen zusammen mit der Bundeswehr und der Gemeinde Reinhausen eine Weihnachtsfeier veranstalten.
Herr Schwarze	Wen laden Sie dazu ein?
Frau Dahnke	Alle Leute über fünfundsechzig Jahre.
Herr Schwarze	Was steht auf dem Programm?
Frau Dahnke	Der Männergesangverein singt, die Schulkinder spielen ein Märchen, der Posaunenchor bläst und wir vom Roten Kreuz kochen Kaffee und bedienen die alten Leute.

Überblick

How to ask what someone intends to do:

was | hat er
haben Sie | vor?

was | will er
wollen Sie | machen?

will Ihr Sohn auch Bäcker werden?

wollen Sie | immer im Bürodienst bleiben?
noch einmal dort hinfahren?

wann
wohin
wie | wollen Sie fahren?

wie lange wollen Sie bleiben?

How to say what you intend to do:

ich will
wir wollen | meinen Bruder besuchen
nach Österreich fahren
zwei Wochen bleiben

nein, das will er nicht

or more formally·

ich | habe vor,
beabsichtige, | über Hawaii zu fliegen
in die DDR* zu fahren

wir | haben vor,
beabsichtigen | über Hawaii zu fliegen
in die DDR* zu fahren

N.B. When you say "ich habe vor" and "ich beabsichtige" you must always add "zu" before "fliegen", "fahren", "bleiben" etc.
Although people often say "wir wollen", it is not considered polite to use "ich will" too much, and frequently the difference between what you intend to do and what you would like or are going to do is slight, so the answer to the question, "was haben Sie vor?" is in many cases likely to be:

ich möchte | in die DDR* fahren
über Hawaii fliegen
zurück zum Streifendienst
vier Tage bleiben

ich fahre mit dem Auto

*With the names of the continents and most countries you say "nach", e.g.

wir fahren nächstes Jahr nach Asien
ich fahre jede Woche nach Österreich
er fliegt morgen nach Kanada

But with a few countries you say "in die", e.g.

wir möchten in die Schweiz fahren.
warum will er in die DDR fahren?
wann wollen Sie in die Vereinigten Staaten fliegen?
ich fahre nächste Woche in die Tschechoslowakei.

Übungen

1 You are a secretary and have been warned by your boss to put off a certain caller. This you do by telling him what your boss intends to do at the times the caller suggests. He starts out hopefully: *Kann ich Herrn Sanders heute nachmittag sprechen?*
You tell him that Herr Sanders intends to visit his brother in Regensburg this afternoon:
Herr Sanders will heute nachmittag ....
The caller then asks: *Kann ich morgen früh kommen?*
Tell him your boss intends to play golf tomorrow morning:
Morgen früh will er ....
The next query is *Könnte ich ihn morgen nachmittag sprechen?* and the excuse is that he intends to stay at home then:
Morgen..
Not losing heart, the caller tries again: *Ist es vielleicht am Donnerstag möglich?*
But you tell him Herr Sanders intends to go to Göttingen that day:
Nein, am Donnerstag ....
Now rather dejected, the caller asks simply: *Und am Freitag?* And, as instructed, you tell him Herr Sanders intends to fly to the Philippines:
Das geht auch nicht. Am Freitag ....

2 Then the caller turns his attention to *you*, and *you* need to find excuses:
Möchten Sie mit mir essen gehen?
Tell him you intend to eat with a girlfriend: Nein, ...
Möchten Sie um 5 Uhr mit mir Kaffee trinken?
Tell him you'd like to go home then: Leider nicht. Um 5 Uhr ....
Wollen Sie heute abend mit mir ins Kino gehen?
Tell him you intend to go dancing tonight: Nein, ...
Wollen wir zusammen tanzen gehen?
Tell him you're going dancing with your husband. Nein, ...

3 **a)** Work out where the following people intend to go for their holidays:

Gisela möchte den Eiffelturm sehen		zu Hause bleiben
Manfred trinkt gern Chianti	er will	nach Paris fahren
Helmut schwimmt gern in der See	sie will	nach Deutschland fahren
Martin und Anne lernen Deutsch	sie wollen	nach Italien fahren
Brian kauft sich einen Schirm		an die See fahren

b) Now answer for them with **ich will . . . ich möchte . . .** and try also **ich habe vor, . . .**

4 **Good intentions.** From the following suggestions and any others of your own, draw up a list of your good intentions in preparation for the New Year:

Ich will | weniger essen / mehr trinken

Ich will früher | aufstehen / ins Bett gehen / nach Hause gehen

Ich will | langsamer / mehr | Auto fahren

Ich will | Deutsch / Russisch / nichts | lernen

Ich will oft | zu Hause bleiben / ins Wirtshaus gehen

Ich will jeden Sonntag | im Garten arbeiten / faulenzen

Ich will | zwanzig Zigaretten am Tag rauchen / kein Bier mehr trinken

5 Herr Paulsen has aroused suspicion at Hamburg airport and is being questioned by immigration officials. Which of his answers fit which questions?

1 Warum kommen Sie nach Deutschland?
2 Wie lange wollen Sie in Deutschland bleiben?
3 Wohin fahren Sie zuerst?
4 Wen wollen Sie da besuchen?
5 Wo wollen Sie dort übernachten?
6 Wieviele Tage wollen Sie denn in Frankfurt bleiben?
7 Was haben Sie sonst noch in Frankfurt vor?
8 Wann wollen Sie zurückfliegen?
9 Warum haben Sie einen Revolver in Ihrem Koffer?

a) Ich habe vor, eine Woche hier zu bleiben.
b) Ich möchte auch ins Theater gehen.
c) Ich bleibe wahrscheinlich drei Tage dort.
d) Ich möchte zuerst nach Frankfurt fahren.
e) Dort will ich meinen Freund Hans Baumaier besuchen.
f) Ich will hier Urlaub machen und einen Freund besuchen.
g) Ich habe vor, am 28. zurückzufliegen.
h) Wahrscheinlich bei meinem Freund.
i) Das ist nicht mein Koffer.

6

Frage	**Antwort**
Wohin fahren Sie im Urlaub?	Ich will an den Bodensee fahren.
Was haben Sie dort vor?	Ich möchte dort angeln.
Wie lange bleiben Sie dort?	Ich habe vor, zwei Wochen dort zu bleiben.
Wie wollen Sie fahren?	Ich fahre mit der Bahn.

How would the following people answer the same questions?

Herr Franke	an die See	schwimmen	drei Wochen	mit dem Auto
Fräulein Berndt	nach Paris	malen	eine Woche	mit der Bahn
Herr und Frau Walter	in die Schweiz	wandern	zwei Wochen	mit einer Reisegesellschaft
Rudi Schwarz	nach Schottland	Golf spielen	eine Woche	mit dem Flugzeug fliegen
Judith Bauer	nach Österreich und zwar nach Wien	in die Oper gehen	zwei Wochen	mit der Bahn

Wissenswertes

Deutsches
Rotes
Kreuz

Hilfe!

What do you do when an accident of some kind happens? If you ask for help in Germany, you will soon discover that large numbers of Germans have been trained by members of the Red Cross in First Aid and life-saving under a scheme called *Selbsthilfe* (self-help). This is partly because anyone who wishes to take a driving-test in the BRD has first to take a course and pass a test in First Aid.

How are DRK members trained?

First Aid courses are compulsory for every active member, and then there are specialised courses to train people for *Pflegedienst* (care of hospital patients), *Bergwacht* (mountain-rescue work), *Wasserwacht* (rescue work at sea), *Sanitätsdienst* (First Aid duty at public events) and *Sozialarbeit* (home visiting and home nursing). *Sozialarbeit* covers a wide field, including care for mothers and children, help for the handicapped, old and infirm and a regular meals-on-wheels service. No-one in need of help is turned away by the Red Cross, but the underlying principle of this help is always training for *Selbsthilfe.*
Red Cross members in responsible positions have to be good organisers and expert public relations officers. The *Altenklub* (Senior Citizens' Club) in Reinhausen, which is run by the DRK, is one of many community projects in which the DRK, the local people and the *Bundeswehr* are jointly involved. During pre-Christmas celebrations like this one, performances by the *Gesangverein* and the *Posaunenchor* are often the highlight of the occasion. Such amateur groups exist all over the Federal Republic, and the *Posaunenchor Reinhausen* is a typical example. It has been in existence for some 20 years now, and its members—about 20 in all—come from varied backgrounds and cover a wide age-range. They meet once a week to practise, as well as performing once a week for such events as silver weddings, and once a fortnight at church services or for other formal occasions. The band is in fact sponsored by the local protestant church, which also provides the instruments, and is a member of a protestant brass band organisation, but the players do not have to have any connection with the church.

Posaunenchor Reinhausen

ZEHN 10 Hoffentlich!

How to say you hope something will happen:

hoffentlich | bleibt das Wetter so schön
haben Sie Glück
ist sie pünktlich

How to say you hope something won't happen:

hoffentlich | schneit es nicht
müssen wir nicht warten

In Göttingen

1 *Bei Meinhardts*

Christiane Mutti! Was kriege ich denn zum Geburtstag?
Frau Meinhardt Das weiß ich noch nicht, Christiane.
Christiane Hoffentlich ist es eine Marionette.
Frau Meinhardt Na, da bin ich nicht so sicher, Christianchen.

was kriege ich denn zum Geburtstag?	what am I getting for my birthday?

2 *Bei Schoppmanns*

Harald Mutti, ich habe Hunger. Wann essen wir Abendbrot?
Frau Schoppmann Wenn Susanne zurück ist.
Harald Wann kommt sie denn?
Frau Schoppmann Sie will um 7 Uhr zu Hause sein.
Harald Hoffentlich ist sie pünktlich.

3 *Bei Heidrichs*

Herr Fiedler Herr Heidrich, was für Fußballspiele besuchen Sie?
Herr Heidrich Ich besuche alle Spiele von Göttingen 05.
Herr Fiedler Wann ist das nächste Spiel, Herr Heidrich?
Herr Heidrich Das nächste Spiel von Göttingen 05 ist am Sonnabend, nächsten Sonnabend. Göttingen spielt gegen Offenbach.
Herr Fiedler Gehen Sie auch wieder hin?
Herr Heidrich Ja, hoffentlich ist das Wetter auch schön.
Herr Fiedler Wo ist das Spiel?
Herr Heidrich Das Spiel ist in Göttingen im Jahnstadion.

gehen Sie auch wieder hin?	are you going there this time too?

4 *Herr Becker telefoniert mit Herrn Schoppmann*

Herr Schoppmann Wie geht es Ihnen?
Herr Becker Danke, ganz gut, aber ich habe viel zu tun.
Herr Schoppmann Können wir morgen an dem Film weiterarbeiten?
Herr Becker Ja, ich denke schon.
Herr Schoppmann Können Sie Ihre Frau mitbringen?
Herr Becker Ja, ich glaube, das geht.

Herr Schoppmann Wollen wir morgen die Szene im Garten drehen?
Herr Becker Ja, das würde mir passen. Hoffentlich bleibt das Wetter so schön.
Herr Schoppmann Ich denke schon.
Herr Becker Ja, dann treffen wir uns also morgen.
Herr Schoppmann OK. Bis dann.

an dem Film weiterarbeiten	do some more work on the film
das würde mir passen	that would suit me
ich denke schon	I think so

5 *Auf der Straße*

Herr Schoppmann Guten Tag, Frau Meinhardt!
Frau Meinhardt Tag, Herr Schoppmann!
Herr Schoppmann Wie geht es Ihnen?
Frau Meinhardt O danke, gut. Morgen fangen ja die Weihnachtsferien an und da freue ich mich schon.
Herr Schoppmann Haben Sie etwas vor?
Frau Meinhardt Ah, ich möchte gern in den Harz fahren zum Skilaufen.
Herr Schoppmann Hoffentlich haben Sie Schnee dort.
Frau Meinhardt Ja, hoffentlich.

da freue ich mich schon	I'm really looking forward to them

6 *Bei Manfred Schwarze*

Bärbel Manfred, wann fahren wir morgen ab?
Manfred Morgen früh.
Bärbel Hoffentlich schneit es in der Nacht nicht; dann sind wir schnell da.

hoffentlich schneit es in der Nacht nicht	I hope it won't snow during the night
dann sind wir schnell da	then we'll get there quickly

7
Manfred Bärbel, essen wir heute wieder zusammen in der Mensa?
Bärbel Ja, warum nicht? Ich habe Zeit.
Manfred Hoffentlich müssen wir nicht wieder so lange warten wie letztes Mal.
Bärbel Ja, das kann man nur hoffen.

so lange warten wie letztes Mal	wait as long as last time
das kann man nur hoffen	let's hope not

8 *Bei Dahnkes: an der Tür*

Guten Tag, Frau Schoppmann!
Frau Schoppmann Guten Tag, Frau Dahnke!
Frau Dahnke Kommen Sie bitte herein.
Frau Schoppmann Danke schön.
Frau Dahnke Sie waren so lange nicht hier . . . So, Frau Schoppmann, hier können Sie ablegen.
Frau Schoppmann Schönen Dank.

9 *Im Wohnzimmer*

Frau Dahnke Ach Frau Schoppmann, bitte schön, kommen Sie doch rein, bitte nehmen Sie Platz. So, Frau Schoppmann, nun sagen Sie mir doch bitte mal, wie geht's eigentlich Ihrem Mann? Ich habe ihn so lange nicht gesehen.

Frau Schoppmann Ach danke, wir sind sehr zufrieden.

Frau Dahnke Das ist ja schön. Sagen Sie mal, darf ich Ihnen etwas zu trinken anbieten? Was hätten Sie denn gern? Tasse Kaffee, Mineralwasser, Tee?

Frau Schoppmann Wenn es Ihnen nicht zu viel Mühe macht, will ich gerne eine Tasse Kaffee trinken.

Frau Dahnke Ach, das geht ja sehr schnell. Ich habe Pulverkaffee im Haus.

ich habe ihn so lange nicht gesehen	I haven't seen him for such a long time
darf ich Ihnen etwas zu trinken anbieten?	can I offer you anything to drink?

Hören und Verstehen

Herr Motel ist Leiter des Fremdenverkehrsamtes in Göttingen. Er wohnt seit 1919 in Göttingen, ist verheiratet und hat zwei Töchter.

Das Göttinger Rathaus

How old is the Town Hall in Göttingen?
What do the municipal arms on the wall signify?
How did the German towns protect themselves against pirates and robber-barons?
Which doorway do you have to go through to register deaths, births and marriages?
Who wears red trousers in Göttingen Town Hall?
Where in Göttingen Town Hall will you find a child on a cushion?

Frau Schoppmann Ich stehe in der Halle des Göttinger Rathauses mit Herrn Motel. Herr Motel ist der Leiter des Fremdenverkehrsamtes. Herr Motel, wie alt ist das Göttinger Rathaus?

Herr Motel Das Göttinger Rathaus ist über sechshundert Jahre alt.

Frau Schoppmann An den Wänden sehe ich viele Stadtwappen. Was bedeuten sie?

Herr Motel Diese Stadtwappen sind die Wappen von Hansestädten. Die Hanse war ein mittelalterlicher Kaufmannsbund—die Städte haben ihn gegründet zum Schutz gegen Seeräuber und Raubritter; Göttingen war zweihundertfünfundzwanzig Jahre Mitglied des Hansebundes.

Frau Schoppmann Uns gegenüber sehen wir ein Portal. Herr Motel, was steht über dem Portal?

Herr Motel Über dem Portal steht das Wort 'Standesamt'

Frau Schoppmann	Was bedeutet 'Standesamt'?
Herr Motel	Im Standesamt schreibt man auf, wenn Einwohner von Göttingen sterben, oder wenn sie geboren sind, oder wenn sie heiraten.
Frau Schoppmann	Rechts und links von dem Portal sehen wir Bilder. Was bedeuten die Bilder?
Herr Motel	Diese Bilder sind ungefähr hundert Jahre alt. Rechts neben der Tür ist ein sehr schönes Bild von einem Brautpaar. Die Braut trägt ein rosa Kleid und der Bräutigam rote Hosen. Diese Kleidung ist mittelalterlich, und das Paar symbolisiert die Hochzeit.
Frau Schoppmann	Was ist das für ein Bild auf der linken Seite?
Herr Motel	Direkt links neben der Tür sehen wir ein Ehepaar; die Mutter trägt ein Kindchen auf dem Arm auf einem Kissen, sie gehen in das Standesamt, um dort die Geburt ihres Kindes zu melden.

oben: Das Brautpaar

links: Das Portal

Überblick

How to say you hope something will happen or is the case:

hoffentlich	ist	es	eine Marionette
	ist	er	noch da
	sind	sie	zu Hause

How to say you hope something won't happen:

hoffentlich	kommt	er	nicht
	müssen	wir	nicht wieder

One thing people are always hoping for is the right weather:

hoffentlich	ist / bleibt	das Wetter	schön
	haben	Sie	Schnee
	schneit / regnet	es	nicht

If you want to express hope, you usually start the sentence off with *hoffentlich.* As in all other sentences, the verb follows immediately.
Zum Beispiel:

am besten fahren Sie mit dem Zug
morgen früh kann ich nicht kommen

This word order places quite a strong emphasis on the first element in the sentence.

And a little more on social contacts.

How to ask someone to come in:	**and likely responses:**
kommen Sie herein	danke schön

How to help someone off with his/her coat:

möchten Sie ablegen? legen Sie bitte ab	schönen Dank

How to offer someone a seat:

bitte nehmen Sie Platz	danke sehr

How to offer something to drink:

darf ich Ihnen etwas zu trinken anbieten? ja, gern

wenn es Ihnen nicht zu viel Mühe macht,	eine Tasse	Tee, Kaffee,	bitte

Übungen

1 Just before closing time, Herr Schwabe is dragged on a shopping expedition by his wife, who is eager to buy a dress she has seen in a shop window. Each is hoping for the opposite thing, and Herr Schwabe echoes in his mind everything his wife says—so work out from what he thinks what his wife must have said.

Frau Schwabe ....
Herr Schwabe Hoffentlich kommt der Bus nicht pünktlich.

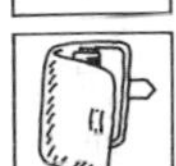

Frau Schwabe ....
Herr Schwabe Hoffentlich hat sie ihr Portemonnaie nicht.

Frau Schwabe ....
Herr Schwabe Hoffentlich hat sie nicht genug Geld.

Frau Schwabe ....
Herr Schwabe Hoffentlich findet sie das Geschäft nicht wieder.

Frau Schwabe ....
Herr Schwabe Hoffentlich gibt es das Kleid nicht in der richtigen Größe.

2 Herr Schoppmann and Herr Becker are planning work on their film. What did Herr Schoppmann say?

Herr Schoppmann Hoffentlich ....
Herr Becker Ja, ich kann morgen kommen.
Herr Schoppmann ....
Herr Becker Ja, ich habe auch übermorgen Zeit.
Herr Schoppmann ....
Herr Becker Ja, ich kann meine Frau bringen.
Herr Schoppmann ....
Herr Becker Ja, sie kann uns auch helfen.
Herr Schoppmann ....
Herr Becker Ja, wir können um 10 Uhr da sein.
Herr Schoppmann ....
Herr Becker Ja, wir können bis 18 Uhr bleiben.

3

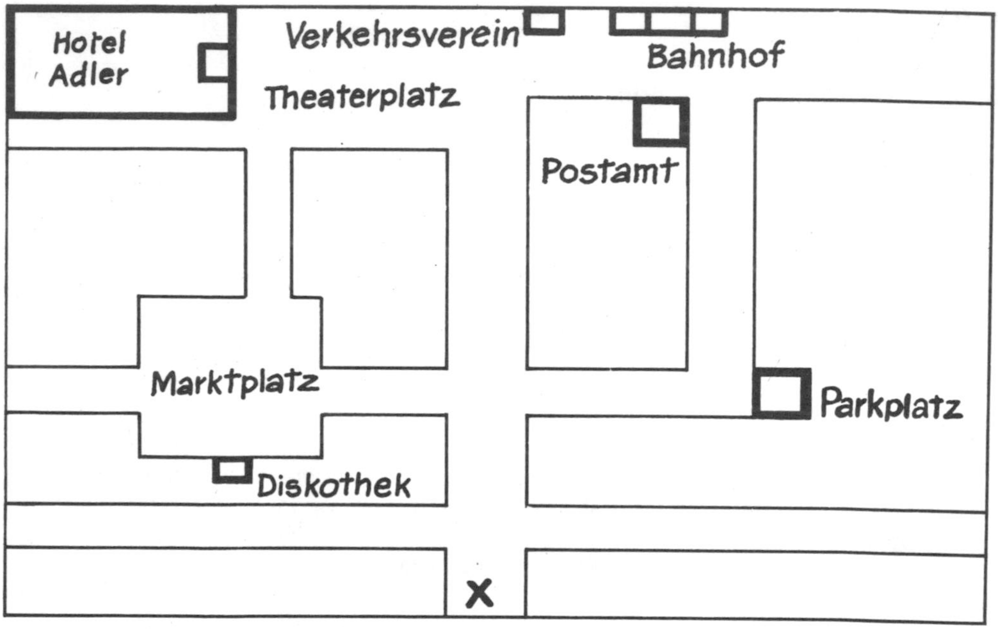

Hotel Adler
Verkehrsverein
Bahnhof
Theaterplatz
Postamt
Marktplatz
Parkplatz
Diskothek
X

You are asked the way to all sorts of places—what do you answer?
Give your directions from **X** on the map above.

1. *Tourist* Entschuldigen Sie bitte, wie komme ich zum Marktplatz?
Sie ....?
1. *Tourist* Nein, zu Fuß.
Sie Gut, also zu Fuß. Sie gehen hier über die
dann biegen Sie an der zweiten Kreuzung ab, dann immer
bis zum
1. *Tourist* Ist das weit von hier?
Sie Nein, das ....
1. *Tourist* Danke schön.
Sie ....

2.	*Tourist*	Entschuldigen Sie bitte, können Sie mir sagen, wie ich zum Hotel Adler komme?
	Sie	..............................?
2.	*Tourist*	Nein, mit dem Auto.
	Sie	Da fahren Sie am .... hier bis zum . Das Hotel Adler ist auf der .... Seite.

3.	*Tourist*	Entschuldigen Sie bitte, gibt es hier einen Parkplatz in der Nähe?
	Sie	Ja, das ist nicht .... von hier. Sie fahren hier dann in die .... Straße und am .... der Straße, direkt an der ...., ist der Parkplatz.

4.	*Tourist*	Entschuldigen Sie bitte, ich kann das Postamt nicht finden. Können Sie mir helfen?
	Sie	Gern. Sie fahren hier immer bis zum . Dann biegen Sie .... Auf der linken Seite sehen Sie den ...., daneben den .... und rechts, gegenüber dem Bahnhof, ist das ....

5.	*Tourist*	Entschuldigen Sie bitte, wie komme ich am besten zum Bahnhof?
	Sie	...............?
5.	*Tourist*	Ja. Ist es sehr weit?
	Sie	Zu Fuß zirka dreißig Minuten.
5.	*Tourist*	Kann ich von hier auch mit der Straßenbahn zum Bahnhof fahren?
	Sie	Ich glaube ja, da drüben ist eine H
5.	*Tourist*	Welche Linie muß ich nehmen?
	Sie	Das weiß ich leider nicht. Ich bin hier fremd.

6.	*Tourist*	Entschuldigen Sie bitte, wie komme ich am schnellsten zur Diskothek?
	Sie	Kommen Sie mit! Die Diskothek ist am und ich will auf dem Markt einkaufen.
6.	*Tourist*	Vielen Dank.
	Sie	....

4 Sort out the muddle.

1 Hoffentlich kommen wir nicht zu spät zur Vorstellung.
2 Hoffentlich bekommen wir noch Karten.
3 Hoffentlich können Sie mich morgen abholen.
4 Hoffentlich regnet es morgen nicht.
5 Hoffentlich haben Sie Ihren Schirm nicht vergessen.
6 Hoffentlich können wir nächsten Samstag wieder ins Kino gehen.
7 Hoffentlich kommen die Gäste nicht schon um 8 Uhr.

a. Nein, ich habe ihn hier.
b. Nein, die Vorstellung beginnt erst um 20 Uhr.
c. Nein, die Party ist um 9.
d. Ja, ich hole Sie morgen um 18 Uhr ab.
e. Nein, nächsten Samstag bin ich leider in Frankfurt.
f. Ja, hoffentlich, aber ich nehme doch meinen Schirm.
g. Ja, hoffentlich. Letztes Mal war die Vorstellung ausverkauft.

5

ARD

1. PROGRAMM

20.00 Tagesschau – Wetter

20.15 Klotz Kluncker
WDR Der ÖTV-Chef
Heinz Kluncker, am 20. Februar 1925 in Wuppertal als Sohn eines Handwerkers geboren, trat am 1. Dezember 1946 in die SPD und in die Gewerkschaft Öffentliche Dienste, Transport und Verkehr (ÖTV) ein. Nachdem er in der ÖTV u. a. als Volontär und schließlich als Chef des Tarifwesens gearbeitet hatte, wurde er 1964 zum Ersten Vorsitzenden dieser Gewerkschaft gewählt. 1972 wurde er wiedergewählt.

20.45 Fußball-Länderspiel: England – Bundesrepublik Deutschland
Aus London. Sprecher: Ernst Huberty

22.30 Je später der Abend
WDR Talk-Show mit Hansjürgen Rosenbauer
Bei Redaktionsschluß hatten die eingeladenen Teilnehmer noch nicht zugesagt.

23.30 Tagesschau
mit Kommentar und Wetterkarte

2. PROGRAMM

19.30 Auslandsjournal
Moderator: Rudolf Radke

20.15 Der Kommissar
Kriminalserie von Herbert Reinecker
Heute: ›Ein Mord auf dem Lande‹
Alfons Tolke .... Walter Sedlmayr
Grete Tolke .... Lis Verhoeven
Anni Tolke .... Jutta Speidel
Walter Tolke ..... Martin Semmelrogge
Hans Beck .... Frithjof Vierock
Krüger .... Werner Kreindl
Agnes Krüger .... Ella Büchi
Pfarrer .... Fritz Strassner
Schulz .... Willy Schultes
und Erik Ode, Günther Schramm, Reinhard Glemnitz, Elmar Wepper
Kamera: Rolf Kästel. Regie: Theodor Grädler

21.15 heute

21.30 Abschiedsparty
Fernsehspiel von Fay Weldon

22.20 Sport am Freitag
Moderatorin: Magdalena Müller

22.50 heute

Er bleibt heute abend lieber zu Hause und sieht das Fußballspiel im Fernsehen.
Sie möchte gern ins Kino gehen, und im Fernsehen sieht sie lieber einen Krimi. Was machen sie?

Fill in the blanks:

sie Was machen wir heute abend? Ich möchte .... ins Kino gehen.
er Ach nein, heute abend möchte ich .... zu Hause bleiben und fernsehen.
sie Warum denn? Gibt es ein interessantes Programm?
er Ja, ... 20.45 Uhr das .... im 1. Programm.
sie Sportsendungen sehe ich nicht .... Ich sehe .... einen Krimi. Aber am .... -sten möchte ich ins Kino.
er Na ja, im 2. Programm gibt's den ....
sie Wann fängt das Programm ......?
er Um ....
sie Und wann ist es zu ....?
er ....
sie Wollen wir nicht beide Programme sehen? Von 20.15 Uhr bis 21.15 Uhr den *Kommissar,* und um 21.15 Uhr das Fußballspiel.
er Also, da gehen wir doch am b........... ins Kino.
sie Ja, das geht, aber morgen kaufen wir einen zweiten ....

6 A real test of your German! Herr Riedmann, your visitor from Nürnberg, can't speak English:

You greet him: ....
Ja, guten Tag.
Ask him in: ....
Danke schön
Would he like to take off his coat? ....?
Ja, gerne.
You offer him a seat ....
Oh, danke sehr.
And then a drink ....?
Ja, sehr gern.
Tea or coffee? ....?
Lieber Kaffee, bitte.

Wissenswertes

Wir haben am 7. Oktober 1975 in Marburg an der Lahn geheiratet

Dr.phil. Andreas Bobinger

Ursula Bobinger
geb. Pöschl

78 Freiburg
Kirchhauserstr. 7

839 Passau
Buchstr. 78

Ab 10. Oktober 1975:
355 Marburg/Lahn, Alsfelderstr. 25/III

Der Polterabend

If you are a wedding guest and a close friend of the family, you may get an invitation to a family party which takes place at the bride's house on the eve of the wedding and is called the *Polterabend*. The name refers to the *Poltergeist* and kindred spirits who, according to ancient folklore, have to be refused entry. This is achieved by beating them at their own game of making noise. So cover your ears when the thumping and battering outside the front door starts and when old flower pots, bottles, glasses and crockery are thrown with increasing fervour by neighbours and friends. But stag parties are unknown in Germany and it's the husband-to-be who has to help his bride to clear away the débris.

Zuerst ins Standesamt

People who want to get married in Germany have to go through the civil ceremony at the *Standesamt*, but many people also like to be married in church as well. At traditional weddings, evening dress is worn.

Die kirchliche Trauung

As in Britain, the bride is attended at formal weddings by two or even three children. They carry her train, while two smaller children walk in front of the bridal couple and strew flowers in their path.

Der Empfang

Some church weddings take place after lunch and, as Germans take their food seriously, the guests at the reception are seated at beautifully decorated tables laden with *Torten* and *Kuchen*. Try not to overdo it if you want to enjoy the delicious dinner later on . . . . At many weddings everyone stays at least until midnight and at some weddings the dancing, singing and drinking go on into the early hours of the morning.

Should you be invited to a wedding in Germany, here is how you could answer:

Sehr geehrter Herr Pöschl!

Für Ihre Einladung zur Hochzeit Ihrer Tochter Ursula danken wir Ihnen herzlich. Wir nehmen gerne an und kommen pünktlich um 13.30 Uhr. (Or, if you can't go: Leider sind wir zu der Zeit nicht in Marburg.) Darf ich Sie bitten, Ihre Frau und Tochter von uns zu grüßen?

Ihr
Max Lachinger

Key to Hören und Verstehen

Chapter

soviel ich weiß	as far as I know
der Hauptkommissar	chief inspector (in the police force)
der Streifenpolizist	policeman on patrol
läßt sich dort eine geben	obtains one there
das ist ganz verschieden	it varies a lot
ausprobiert	tried out
hat man einen Film gedreht	they made a film
über den großen Postraub	about the Great Train Robbery
welche Rolle haben Sie gespielt?	what part did you play?
ich bin Polizist gewesen	I was a policeman

Chapter

verkaufen Sie all Ihre Backwaren?	do you sell all the things you bake?
weil meine Frau dann den Laden öffnet	because my wife opens up shop then
Gesellen	assistants
verschiedene kleinere Geräte	various pieces of smaller equipment
das ganze Jahr über gleich	the same all through the year
bringen die Ernte ein	are bringing in the harvest
weil viele meiner Kunden im Urlaub sind	because many of my customers are away on holiday

Chapter

berate ich Gäste	I advise visitors
was kann man alles unternehmen?	what kind of things can you do?
der Stadtdirektor	town clerk
die Salzkammer besichtigen	have a look at the salt store
die Folterkammer	torture chamber
der Stadtkern	town centre
das Fachwerkhaus	half-timbered house
zieht sich ein Wall	there is a wall
größere Wanderungen machen	go for walks in the country
aber nur in Richtung Westen	but only to the west
zahlreiche Erinnerungen an	a large number of exhibits connected with (lit.: memories of)
in denen	in which
Dampfer fahren	go for steamer trips

Chapter

meine Familienmitglieder	the members of my family
ich rechne	I estimate
wie sind Sie zum Filmen gekommen?	how did you get into making films?
Tonfilmschlager	film hits
er hat viele Schallplatten selbst aufgenommen	he made lots of records himself
Geräuscheffekte	sound effects
die Kleinbahnfahrt	journey on a narrow gauge railway
ein Eisenbahngalopp	a railway gallop

Chapter

die Herbergsmutter	youth hostel warden
die Deutsche Jugendherberge	German equivalent of the YHA
Gemeinschaftswaschräume und Duschräume	communal washing and shower facilities
ausgestattet	furnished
Wolldecken	woollen blankets

das Geschirr spülen	do the washing-up
der Inhaber	owner
Hotel mit gehobenem Komfort	well-appointed hotel

Chapter

in der Iduna-Versicherung	in the building of the Iduna Insurance Company
die Unfallverhütung	accident prevention
das Ausrutschen	slipping
man steigt schlaftrunken aus dem Bett	one gets out of bed, still half-asleep
ausbrennen	burn down
setzen sie leicht den Tannenbaum in Flammen	they can easily set the Christmas tree on fire
Sicherheitsfachkraft	accident-prevention officer
ein Teil der Arbeit	one part of the work

Chapter

der Frühschoppen	literally: an early-morning half pint of beer. Here: a programme where international journalists meet on Sunday morning to discuss political events of the previous week
aus verschiedenen Ländern	from different countries
die erscheint	it is broadcast
wie lange sehen Sie diese Sendungen schon?	how long have you been watching this programme?
seit zwanzig Jahren	for 20 years
der Kopfhörer	headphone
die *Presseschau,* die muß ich hören	the *Press Review*—I simply have to listen to that

Chapter

freiwillig	voluntarily
wir bilden . . . Leute aus	we . . . train people
was haben Sie sonst noch für Aufgaben?	what other jobs do you have?
ich leite	I run
wir treiben Gymnastik	we do gymnastics
Kaffeefahrten	outings to an inn or restaurant where coffee and cakes are served
etwas Besonderes	anything special
mit der Bundeswehr und der Gemeinde	with the armed forces and the community
eine Weihnachtsfeier veranstalten	organise a Christmas party
wen laden Sie dazu ein?	who are you inviting along?
was steht auf dem Programm?	what do you have planned?
der Posaunenchor bläst	the brass band will be playing

Chapter

zum Schutz gegen Seeräuber und Raubritter	as protection against pirates and robber-barons
uns gegenüber	opposite us
über dem Portal steht	above the doorway you see
das Standesamt	registry office
wenn Einwohner sterben	when inhabitants die
symbolisiert die Hochzeit	stands for the wedding ceremony
um die Geburt ihres Kindes zu melden	to report the birth of their child

Key to exercises

Chapter 1

1 a) Wie alt sind Sie? Wo wohnen Sie? Sind Sie verheiratet? Haben Sie Kinder? Wie heißen Ihre Kinder und wie alt sind sie? Was sind Sie von Beruf? *or* Sind Sie berufstätig? *or* Haben Sie einen Beruf?

b) Ich heiße *or* Mein Name ist Kurt Heidrich etc. Ich bin fünfunddreißig (Jahre alt) etc. Ich wohne in Göttingen. Ja, ich bin verheiratet. Nein, ich bin ledig. Ich habe vier/keine/drei Kinder. Peter ist vierzehn Jahre alt, Karin dreizehn, etc. Ich bin Kraftfahrer/ Arzteberater/Chef-Ingenieur.

3 For German dates see *Überblick.*

4 Am Dienstag, dem zwölften Mai; am Mittwoch, dem siebzehnten Juni; am Donnerstag, dem neunundzwanzigsten August; am Freitag, dem zweiten Oktober; am Samstag, dem zwölften November; am Sonntag, dem zweiundzwanzigsten Dezember.

Chapter 2

1 1f; 2d; 3a; 4g; 5b; 6c; 7h; 8e.

3 Am Montag muß ich zum Arzt gehen. Am Dienstag muß ich zum Friseur gehen. Am Mittwoch muß ich ein/das Geschenk kaufen. Am Donnerstag muß ich Beate besuchen. Am Freitag muß ich zum Zahnarzt gehen. Am Samstag muß ich nach Frankfurt fahren.

4 Darf ich hier parken? Darf ich hier links abbiegen? Muß ich eine Strafe bezahlen? Darf man/ich hier rauchen?

5 Darf ich mit Ihnen tanzen? Darf ich Sie nach Hause fahren? Darf ich schneller fahren? Darf ich Sie küssen?

6 Ich muß um sieben Uhr dort/im Büro sein. Ich muß um 6 Uhr aufstehen. . . . ich muß/wir müssen ohne Frühstückspause bis 13 Uhr arbeiten. . . . ich trinke/ man trinkt/wir trinken um 11 Uhr eine Tasse Kaffee. . . . darf ich/ darf man/dürfen wir nicht. Ich muß/man muß/wir müssen um 14 Uhr wieder da sein *Or* Eine Stunde *or* Ich habe/wir haben eine Stunde Mittagspause. Ich muß/man muß/wir müssen bis 18 Uhr arbeiten *or* Ich darf/man darf/wir dürfen um 18 Uhr nach Hause gehen *or* Ich muß noch vier Stunden arbeiten.

Chapter 3

1 Lieber ohne (Sahne). Lieber (eine Tasse) Tee. Lieber (mit) Zitrone. Lieber nicht/Lieber ohne Zucker.

2 Ich möchte lieber die Zeitung lesen. Ich möchte lieber Tee trinken. Ich möchte lieber fernsehen. Ich möchte lieber zu Hause bleiben. Ich möchte lieber in der Sonne liegen.

3 Lieber schlank/dick. Lieber ledig/ geschieden/Witwe. Lieber mit/ohne (Brille). Lieber Deutsche/ Engländerin. Lieber berufstätig/ Hausfrau. Lieber Raucherin/ Nichtraucherin.

4 Lieber einen intelligenten/dummen. Lieber einen großen/kleinen. Lieber mit/ohne(Bart). Lieber ledig/einen ledigen/(einen) Witwer. Lieber (einen) katholisch(en)/ (einen) evangelisch(en). Lieber (einen) humorvoll(en)/ernst(en) Lieber (einen) Lehrer/Zahnarzt.

5 Example: Nein, ich esse lieber Vanille und Pistazien. Nein, lieber zu 80 Pf. Assuming a) you do not have a double portion of the same flavour and b) you take two portions at the same price, there are 84 possible price and flavour combinations.

6 Welche Torte nehmen Sie lieber—die Mokkatorte oder die Schwarzwälder Kirschtorte? Welche Käsesorte/ Welchen Käse möchten Sie lieber— den Edamer oder den Emmentaler? Welchen Wein trinken Sie lieber— den weißen oder den roten? Welche Oliven essen Sie lieber—die grünen oder die schwarzen? Welches Bier trinken Sie lieber—ein Göttinger Edelpils oder ein Franziskaner?

7 Nein, ich esse lieber Gersterbrot. Nein, ich trinke lieber Göttinger Edelpils. Nein, ich gehe lieber ins Kino. Nein, ich gehe lieber spazieren. Nein, ich fahre lieber an die See. Nein, ich fahre lieber mit der Bahn/mit dem Bus *or* ich fliege lieber (mit dem Flugzeug).

Chapter 4

1 Kann ich um 11 Uhr zu Ihnen kommen? Kann ich meinen Schlüssel gleich haben? Kann ich hier Briefmarken kaufen? Kann ich den Anzug morgen abholen? Kann ich mit Fräulein Hansen sprechen? Kann ich Ihnen helfen? Kann ich hinter dem Haus parken? Kann ich mit dem Schnellzug weiterfahren? Kann ich direkt nach München durchwählen?

2 Können Sie mitkommen? Können Sie warten? Können Sie ein Hotel empfehlen? Können Sie mir einen Prospekt geben? Können Sie reiten?

3 Können Sie mir sagen, wann der nächste Bus fährt? . . ., wo die Theaterkasse ist? . . ., wann die Vorstellung beginnt? . . ., was/wieviel das Programm kostet? . . ., wie lange die Pause dauert? . . ., wo die Bar ist? . . ., wo das Restaurant ist?

4 Ja, ich kann schwimmen. Nein, ich kann nicht schwimmen. Ja, ich kann Auto fahren. Nein, ich kann nicht Auto fahren. Ja, ich kann Skifahren, etc.

5 Ich kann die Zeitungen nicht finden. Wo sind sie? Ich kann mein Gepäck nicht finden. Wo ist es? Ich kann den Parkplatz nicht finden. Wo ist er? Ich kann meine Frau nicht finden. Wo ist sie?

6 Es tut mir leid. Das kann ich nicht: 1, 4, 5. Ja, das kann ich schon: 2, 3.

7 (Entschuldigen Sie bitte.) Wo kann ich hier Käse kaufen? Wo kann ich hier Hosen eine Hose kaufen? Wo kann ich hier Handschuhe kaufen? Wo kann ich hier (eine Tasse) Kaffee trinken? Wo kann ich hier telefonieren?

8a) In Augsburg/Dort kann man schwimmen, Golf spielen, reiten und Tennis spielen.

b) In Oberstdorf/Dort kann man nicht Golf spielen, reiten und segeln.

c) Man kann in Füssen, Lindau und Oberstdorf angeln *or* In . . . kann man angeln.

d) Man kann in Augsburg, Füssen und Oberstdorf nicht segeln *or* In . . . kann man nicht segeln.

e) Man kann überall/in Augsburg, Füssen, Lindau und Oberstdorf Tennis spielen *or* Überall/In . . . kann man Tennis spielen.

f) Man kann in Füssen und Oberstdorf nicht reiten *or* In . . . kann man nicht reiten.

Chapter 5

2 Obviously there are many different answers possible. We suggest the following: 1) ja, sicher; 2) das glaube ich schon; 3) aber sicher; 4) das stimmt doch gar nicht; 5) das ist schon möglich; 6) vielleicht; 7) da bin ich nicht so sicher; 8) das stimmt aber nicht; 9) soviel ich weiß; 10) das stimmt; 11) das weiß ich nicht; 12) das stimmt aber nicht; 13) wahrscheinlich; 14) ganz bestimmt; 15) das ist schon möglich.

3 Ja, das stimmt: Nr. 2, 3, 6, 8, 9, 10. Nein, das stimmt nicht: Nr. 1, 4, 5, 7.

4 Nein, ich möchte lieber faulenzen. . . . ein Buch lesen. . . . zu Hause bleiben.

5 Nein, ich möchte lieber zu Fuß gehen. . . . allein gehen.

6 Nein, ich muß einen Brief schreiben. . . . ich muß mir die Haare waschen. . . . ich muß Gerda anrufen.

Chapter 6

1 Danke/Danke schön/Schönen Dank/Danke vielmals. Im Gasthof zum Löwen. Ich bin zufrieden. Es ist sehr gut. Ja, sehr gut. Ich komme aus . . . Ich möchte gerne eine Tasse Kaffee trinken. Nein, danke.

2 Wie geht es Ihnen? Und wie geht es Ihrem Mann/Ihrer Frau? Wie war die Reise? Waren die Züge pünktlich? Mußten Sie umsteigen?

Wie lange waren Sie unterwegs? Wie gefällt Ihnen das Hotel? Wie ist das Essen?

3 Es geht mir nicht sehr gut. Meinem Mann/Meiner Frau geht es auch nicht gut. Die Reise war nicht sehr gut. Die Züge waren nicht pünktlich. Ich mußte zweimal, in Hamburg und Hannover, umsteigen. Ich war achtzehn Stunden unterwegs. Das Hotel gefällt mir nicht. Das Essen ist nicht sehr gut. Können Sie mir einen Arzt und ein gutes Hotel empfehlen?

4 . . . geht es nicht sehr gut, . . . hat nicht gut geschlafen; . . . meinem Mann/meiner Frau gefällt sie nicht (sehr gut); Meinem Mann/meiner Frau ist es . . .; mein Mann/meine Frau ist nicht sehr/ganz zufrieden; . . . meinem Mann/meiner Frau schmeckt es nicht.

5 *Herr Lange:* (Es geht mir) nicht sehr gut/leider nicht sehr gut. Meiner Frau auch nicht gut, aber meiner Tochter geht es sehr gut. Nein, (nicht sehr gut,) die Züge waren sehr voll. Nein, in München hatte der Zug eine halbe Stunde Verspätung. Ja, wir mußten/ich mußte zweimal umsteigen. Wir waren/ich war fünfzehn Stunden unterwegs. *Frau Venske:* (Es geht mir) ganz gut. Meiner Familie geht es auch gut. Ja, die Reise war ganz normal. Ja, (die Züge waren) sehr pünktlich. (Ich mußte) nur einmal in Münster (umsteigen). Ich war (nur) sechs Stunden unterwegs.

6 Wie geht es Ihnen? Wie geht es Ihrem Mann? Wie geht es Ihrer Tochter? Wie geht es Ihrem Sohn? Wie geht es Ihrem Baby?

7 Ich habe einen Schnupfen; Mein linkes Ohr tut weh; Mein rechter Fuß tut weh; Ich habe Kopfschmerzen; Mein rechtes Ohr tut weh; Ich habe Zahnschmerzen.

Chapter 7

1 auf dem Parkplatz da drüben; mit dem Flugzeug; zu Fuß; mit einem Taxi; in der DJH; im Bett; in der Schweiz; unser Schuhmacher.

2 Wie komme ich am besten zur Stadthalle? Wie komme ich am besten zum Deutschen Theater? Wie komme ich am besten zum Bahnhof? Wie komme ich am besten zur Volksbank? Wie komme ich am besten zur Johanniskirche?

3 1,a; 2,c; 3,f; 4,g; 5,d; 6,h; 7,b: 8,e.

4 Am billigsten essen Sie . . .
Am billigsten übernachten Sie . . .
Am schnellsten fahren Sie . . .

5 Wie fahre ich am günstigsten nach München? Wann fahre ich am besten ab? Wie fahre/komme ich am besten zum Residenztheater? Wie komme ich am schnellsten zum Bahnhof?

Chapter 8

1 *Frau Wallmann:* Sehr selten. Fast nie. Ja, sehr gerne. Ja, seit sechs Monaten. Am liebsten sehe ich Kriminalfilme. *Herr Motel:* Sehr selten. Sehr viel—wir haben ein Abonnement. Ja. Ja. Am liebsten hören wir klassische Musik. *Frau Dahnke:* Nicht sehr oft. Regelmäßig. Ja, aber nicht so sehr oft. Ja. Ich sehe gern Musiksendungen. *Herr Schwarze:* Ja, ziemlich oft. Sehr selten. Beim Autofahren höre ich gern Musiksendungen. Ja. Am liebsten sehe ich politische Sendungen oder Krimis. *Frau Swart:* Fast nie. Ich gehe sehr häufig ins Deutsche Theater. Ja. Ja. Im Radio höre ich gern Symphoniekonzerte und im Fernsehen sehe ich am liebsten politische Sendungen.

2 Volksmusik; Schlager; Kriminalfilme; Monitor; Fußballspiele; Nachrichten.

3 **Waagerecht:** 1. oft 5. gern 7. Radio 8. Schlager 9. Krimis
Senkrecht: 2. Theater 3. Kino 4. Reich 6. Musik

5 Hans: Ich reite ziemlich oft. Inge: Ich spiele regelmäßig Tennis. Harald: Ich spiele jeden Sonntag Fußball. Monika: Ich laufe/fahre jeden Winter Ski. Ingrid: Ich angele einmal im Monat. Horst: Ich spiele jedes Wochenende Golf. Herbert:

Ich spiele sehr oft Handball.
Helga: Nein/Lieber nicht/Ich faulenze lieber/Ich liege lieber in der Sonne.

Chapter 9

1 . . . seinen Bruder in Regensburg besuchen. . . . Golf spielen. . . . nachmittag will er zu Hause bleiben. . . . will er nach Göttingen fahren. . . . will er auf die Philippinen fliegen.

2 ich will mit einer Freundin essen. . . . möchte ich nach Hause fahren. ich will heute abend tanzen gehen. ich gehe mit meinem Mann tanzen.

3a) Sie will nach Paris fahren.
Er will nach Italien fahren.
Er will an die See fahren.
Sie wollen nach Deutschland fahren.
Er will zu Hause bleiben.

b) Ich will/möchte nach Paris fahren.
Ich habe vor, nach Paris zu fahren.
Ich will/möchte nach Italien fahren.
Ich habe vor, nach Italien zu fahren.
Ich will/möchte an die See fahren.
Ich habe vor, an die See zu fahren.
Wir wollen/möchten nach Deutschland fahren. Wir haben vor, nach Deutschland zu fahren.
Ich will/möchte zu Hause bleiben.
Ich habe vor, zu Hause zu bleiben.

5 1f; 2a; 3d; 4e; 5h; 6c; 7b; 8g; 9i.

6 *Herr Franke:* Ich will an die See fahren. Ich möchte dort schwimmen. Ich habe vor, drei Wochen dort zu bleiben. Ich fahre mit dem Auto.
Frl. Berndt: Ich will nach Paris fahren. Ich möchte dort malen. Ich habe vor, eine Woche dort zu bleiben. Ich fahre mit der Bahn.
Herr und Frau Walter: Wir wollen in die Schweiz fahren. Wir möchten dort wandern. Wir haben vor, zwei Wochen dort zu bleiben. Wir fahren mit einer Reisegesellschaft. *Rudi Schwarz:* Ich will nach Schottland fahren. Ich möchte dort Golf spielen. Ich habe vor, eine Woche dort zu bleiben. Ich fliege mit dem Flugzeug.
Judith Bauer: Ich will nach Österreich und zwar nach Wien fahren. Ich möchte dort in die Oper gehen. Ich habe vor, zwei Wochen dort zu bleiben. Ich fahre mit der Bahn.

Chapter 10

1 Hoffentlich kommt der Bus pünktlich. Hoffentlich habe ich mein Portemonnaie. Hoffentlich habe ich genug Geld. Hoffentlich finde ich das Geschäft wieder. Hoffentlich gibt es das Kleid in der richtigen Größe.

2 Hoffentlich können Sie morgen kommen. Hoffentlich haben Sie auch übermorgen Zeit.
Hoffentlich können Sie Ihre Frau bringen. Hoffentlich kann sie uns auch helfen. Hoffentlich können Sie schon um 10 Uhr da sein.
Hoffentlich können Sie bis 18 Uhr bleiben.

3 1. Mit dem Auto? – geradeaus – Kreuzung – links – geradeaus – Marktplatz – ist nicht weit – Bitte schön 2. Zu Fuß? – besten – geradeaus – Theaterplatz – linken 3. weit – geradeaus – zweite – rechts – Ende – Ecke 4. geradeaus – Theaterplatz – rechts ab/nach rechts – Verkehrsverein – Bahnhof – Postamt 5. Zu Fuß? – Haltestelle 6. Marktplatz – Bitte sehr.

4 1b; 2g; 3d: 4f; 5a; 6e; 7c.

5 gern – lieber – um – Fußballspiel – gern – lieber – am liebsten – *Kommissar* – an – 20 Uhr – Ende – Um 21.15 Uhr – am besten – Fernseher/Fernsehapparat.

6 Guten Tag, Herr Riedmann!
Kommen Sie bitte herein.
Möchten Sie ablegen?
Nehmen Sie bitte Platz.
Möchten Sie etwas trinken/Darf ich Ihnen etwas zu trinken anbieten?
Tee oder (lieber) Kaffee?

Grammar summary

A summary of the new grammar introduced in Chapters 1–10

Nouns and prepositions

After **für, ohne, um:**

With **der** words you use

den, diesen, welchen, einen, keinen, meinen, seinen, ihren, Ihren, unseren.

Ich stricke Pullover für	meinen Mann
Ich gehe ohne	unseren Sohn

After **aus, bei, mit, nach, seit, von, zu:**

Der, die and **das** take these forms:

Wir fahren mit	dem Bus	(der Bus)
	dem Auto	(das Auto)
	der Straßenbahn	(die Straßenbahn)
	den Fahrrädern	(die Fahrräder)

Ich habe diese Beschwerden seit	einem Monat	(ein Monat)
	einer Woche	(eine Woche)
	14 Tagen	(14 Tage)

Note: when possible, plural nouns add 'n'

zu dem is usually shortened to **zum** e.g. Wie komme ich zum Bahnhof?
zu der is usually shortened to **zur** e.g. Wie komme ich zur Stadtmitte?

These words take the following forms:

singular	diesem	welchem	keinem	meinem	seinem	ihrem	Ihrem	unserem
	dieser	welcher	keiner	meiner	seiner	ihrer	Ihrer	unserer
plural	diesen	welchen	keinen	meinen	seinen	ihren	Ihren	unseren

— **and the same forms are used in this sentence pattern**

Wie geht es	Ihrem Mann?	Meinem Mann	geht es gut
	Ihrem Kind?	Meinem Kind	
	Ihrer Familie?	Meiner Familie	
	Ihren Kindern?	Meinen Kindern	

After **an, auf, in, vor:**

To describe where something or someone is moving to:

Ich gehe	in den Garten	
	ins* Theater	* ins = in das
	in die Stadt	

To describe where something or someone is or does something:

Er arbeitet	im* Garten	
	im* Theater	*im = in dem
	in der Stadt	

Adjectives

	(der Wein)	(die Kerze)	(das Stück)
Wir kaufen	den **billigen** Wein	die **rote** Kerze	das **große** Stück
	einen **billigen** Wein	eine **rote** Kerze	ein **großes** Stück
	die **billigen** Weine	die **roten** Kerzen	die **großen** Stücke
	billige Weine	**rote** Kerzen	**große** Stücke

Adverbs

Expressing comparisons:

Ich	höre **gern** Radio
	sehe **lieber** fern
	gehe **am liebsten** ins Kino

— **and the best way of doing something:**

Wie komme ich	**am besten**	zum Stadtmuseum?
Wo kaufe ich	**am billigsten**	Wein?

Verbs

Talking about the past using **sein, haben** and **müssen**:

ich, er, sie, es	war	hatte	mußte
Sie, wir, sie	waren	hatten	mußten

Making polite suggestions:

Kommen Sie bitte herein! Legen Sie bitte ab!

Pronouns

Wie geht es	Ihrem Mann?	Es geht	**ihm**	gut
	Ihrem Kind?		**ihm**	
	Ihrer Frau?		**ihr**	
	Ihren Söhnen?		**ihnen**	

Wie geht es **Ihnen?**	Es geht	**mir**	gut
		uns	

The following forms are also used

after **bei, mit, nach, von, zu**:

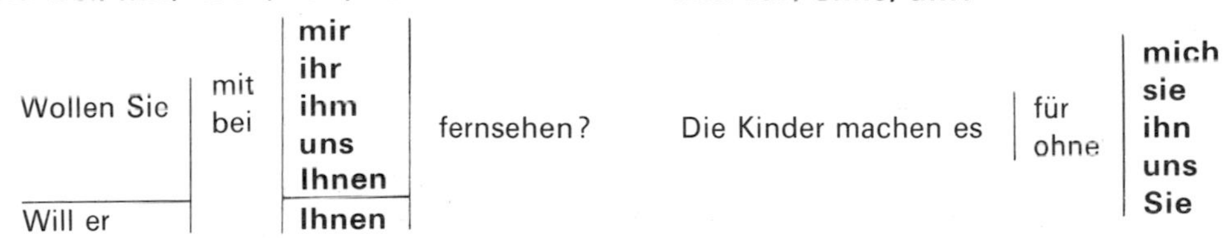

Wollen Sie	mit	**mir**	fernsehen?
	bei	**ihr**	
		ihm	
		uns	
		Ihnen	
Will er		**Ihnen**	

after **für, ohne, um**:

Die Kinder machen es	für	**mich**
	ohne	**sie**
		ihn
		uns
		Sie

Word order

Statements:

Ich	**gehe**	heute abend ins Theater
Sie	**hatten**	eine gute Reise
Ich	**bin**	in Göttingen **geboren**
Da	**bin**	ich nicht so sicher
Hoffentlich	**bleibt**	das Wetter schön
Wahrscheinlich	**fange**	ich in meinem nächsten Urlaub **an**

Wir	**wollen**	nur am Sonntag **fernsehen**
	möchten	
	können	

Ich	**habe vor,**	nach Amerika zu **fahren**
	beabsichtige,	

Questions:

	Sind	Sie sicher?
	Gehen	Sie heute abend ins Theater?
	Waren	die Züge in Österreich pünktlich?
	Hatten	Sie eine gute Fahrt?
	Wollen / **Möchten** / **Können**	Sie am Sonntag an dem Film **weiterarbeiten?**
	Können	Sie mir **sagen,** wo das Rathaus **ist?**
Wie	**heißen**	Sie?
Wie	**geht**	es Ihnen?
Wie	**komme**	ich am besten zum Stadtmuseum?
Wann	**sind**	Sie **geboren?**
Was	**haben**	Sie in letzter Zeit **gesehen?**
Wo	**kann**	ich hier **parken?**
Wie lange	**müssen**	Sie **arbeiten?**

Glossary

Plural forms of nouns are given in brackets. Abbreviations are: (m.) masculine; (f.) feminine; (sing.) singular; (pl.) plural. The meanings given apply only to the sense in which the German words are used in the texts.

A

ab *from*
abbiegen *to turn off*
der Abend (-e) *evening*
das Abendbrot *supper, evening meal*
abends *in the evening*
aber *but*
abgefahren: ich bin abgefahren *I set off*
abgeschleppt: Fahrzeuge werden abgeschleppt *vehicles will be towed away*
abgestellt *parked*
abholen *to collect, pick up*
ablegen *to take off one's coat*
das Abonnement (-s) *subscription*
die Abschiedsparty (-parties) *farewell party*
die Abteilung (-en) *department*
ach:ach was *of course*
aktuell *topical, current*
der Alkohol *alcohol*
alle *all*
allein *alone, on my/your etc. own*
allem: vor allem *above all*
das Allgäu *region of S. Germany*
allgemein *general*
als *as, than*
alt *old*
der Altenklub (-s) *Senior Citizens' Club*
das Alter (-) *age*
der Älteste (-n) *oldest, eldest (m.)*
am *at the, on, in the, by the*
an *at, on*
anbieten *to offer*
andere, anderen *other, another*
anfangen *to start, to begin*
angeln *to fish*
angenehm *pleasant*
ankreuzen *to tick*
annehmen *to accept*
anrufen *to ring up;* Gerda ruft Manfred an *Gerda rings up Manfred*
anschauen *to look at*
ansehen *to watch*
die Antwort (-en) *answer*
antworten *to answer*
der Anzug (¨e) *suit*
der Apfelkuchen (-) *apple flan*
die Apotheke (-n) *chemist's shop, pharmacy*
der Apotheker (-) *chemist (m.)*
die Apothekerin (-nen) *chemist (f.)*
die Aprikose (-n) *apricot*
die Arbeit (-en) *work*
arbeiten *to work*
die Arbeitsgemeinschaft (-en) *association*
arm *poor*
der Arzt (¨e) *doctor (m.)*
der Ärzteberater (-) *medical representative*
die Ärztin (-nen) *doctor (f.)*
Asien *Asia*
au! *oh dear! ouch!*
auch *too, also, as well;* auch nicht *not . . . either*
auf *to, in, on, open*
die Aufgabe (-n) *task, duty, work*
die Auflage (-n) *things to spread (e.g. jam)*
aufstehen *to get up*
die Aula (Aulen) *assembly hall, lecture theatre*

aus *from, out of, made of*

der Ausflug (¨e) *excursion*

die Ausflugsmöglichkeit (-en) *choice of excursion*

der Ausgang (¨e) *exit*

die Auskunft (¨e) *information*

das Ausland: im Ausland *abroad*

das Auslandsjournal (-s) *foreign journal*

ausmachen *to put out*

die Ausnahme (-n) *exception*

ausschalten *to turn off*

außerdem *apart from that, in addition*

die Aussicht (-en) *view*

ausverkauft *sold out*

das Auto (-s) *car*

das Autofahren *driving*

B

backen *to bake*

das Backen (-) *baking*

der Bäcker (-) *baker*

die Bäckerei (-en) *bakery*

das Bäckerhandwerk *baker's trade*

der Bäckermeister (-) *master-baker*

die Backwaren (pl.) *baking goods*

das Bad (¨er) *swimming pool, bath*

die Badewanne (-n) *bath, bathtub*

die Bahn (-en) *rail*

der Bahnhof (¨e) *railway station*

die Bank (-en) *bank*

die Bar (-s) *bar*

der Bart (¨e) *beard*

basteln *to make things (as a hobby)*

das Bauernbrot (-e) *farmer's loaf*

der Bauernhof (¨e) *farm*

der Baumkuchen (-) *pyramid cake (hollow cake in the form of a tree-trunk)*

die Baustelle (-n) *building site*

Bayern *Bavaria*

beabsichtigen *to intend*

bedeutet: was bedeutet das denn? *what on earth does that mean?*

begeistert *enthusiastic*

der Beginn *beginning, start*

beginnen *to begin*

behaglich *comfortable*

bei *at, with, near*

beide *both, the two*

beim *at the, in the process of*

das Beispiel (-e) *example;* zum Beispiel *for example, abbreviated to* z.B.

die Bekannte (-n) *acquaintance, friend (f.)*

bekommen *to get*

bereits *already*

der Bereitschaftsdienst (-e) *service at a state of immediate readiness*

der Berg (-e) *mountain*

der Bericht (-e) *report*

berichten *to report*

der Beruf (-e) *occupation;* was sind Sie von Beruf? *what's your job?*

beruflich: was macht sie beruflich? *what's her job?*

berufstätig *in employment*

beschäftige: ich beschäftige mich mit Tonfilmen *I make amateur films*

die Beschwerde (-n) *complaint, symptom*

besetzt *occupied, taken*

besonder *special*

besonders *particularly*

besser *better, nicer*

die Bestätigung (-en) *confirmation*

besten: am besten *best*

bestellen *to order, book*

bestimmt *definitely*

der Besuch (-e) *visit*

besuchen *to visit*

Betreten: Betreten verboten! *no entry*

der Betrieb (-e) *business, firm*

das Bett (-en) *bed*

bezahlen *to pay*

das Bier (-e) *beer*

das Bild (-er) *picture, photo*

billig *cheap*

billigsten: am billigsten *cheapest*

bis *till;* bis wann? *until when?*

bißchen: ein bißchen *a little, a bit*

bissig *savage, vicious*

bitte, bitte schön, bitte sehr *please, not at all;* bitte sehr? *can I help you?*

bitten *to ask, request*

blau *blue*

bleiben *to stay*

die Blume (-n) *flower*

der Bodensee *Lake Constance*

Böhmen *Bohemia*

botanisch *botanical*

brauchen *to require, need*

Braunschweig *Brunswick*

die BRD: Bundesrepublik Deutschland *German Federal Republic*

das Brett (-er) *(floor-) board, plank*

brennend *lighted*

die Briefmarke (-n) *postage stamp*

das Briefmarkensammeln (-) *stamp-collecting*

die Brille (-n) *(pair of) glasses*

die Brillenträgerin (-nen) *wearer of glasses (f.)*

bringen *to bring, to fetch, get*

das Brot (-e) *bread*

das Brötchen (-) *bread roll*

die Brotsorte (-n) *kind of bread*

die Brücke (-n) *bridge*

der Bruder (¨) *brother*

das Buch (¨er) *book*

buchen *to book, reserve*

das Büfett (-s) *buffet*
das Bügeleisen (-) *iron*
bügeln *to iron*
der Bundesaußenminister *Federal Foreign Secretary*
der Bundeskanzler *Federal Chancellor*
das Bundesministerium *(Federal) Ministry*
die Bundesrepublik *Federal Republic*
der Bundesvorsitzende *Federal President*
das Büro (-s) *office*
der Bürodienst (-e) *administrative work*
der Bus (-se) *bus*
der Busfahrer (-) *bus driver*

C

der Campingplatz (¨e) *camping site*
die CDU: Christlich-Demokratische Union *Christian Democratic Union*
der Chef (-s) *boss, head*
der Chef-Ingenieur (-e) *engineer-in-chief*
circa *approximately, abbreviated* ca.
Cordon Bleu *a sandwich of two steaks, cheese, and a piece of ham, fried in batter*

D

da *so, therefore, then, there, here*
dabei *there, as well, like that*
dafür *for it, for this*
daher *so, therefore*
dahin *(to) there*
die Dame (-n) *lady*
daneben *next to it*
Dank: mit verbindlichem Dank *many thanks;* vielen Dank *many thanks*
danken *to thank*
dann *then*
darf: darf ich . . .? *may I . . .?* darf man . . .? *are you allowed to . . .?* was darf es sein? *what would you like?*
dasselbe *the same*
dauern *to last*
davon *of them*
die DDR: Deutsche Demokratische Republik *German Democratic Republic*
die Decke (-n) *tablecloth*
denken *to think*
denn *then*
des *of the*
das Deutschbuch (¨er) *German textbook*
die Deutsche (-n) *German woman*
die Deutsche Mark (DM) *German Mark*
dick *fat*
der Dienst (-e) *work, service*
diesem *this*
diesen *this;* diesen (pl.) *these*
der Diplomingenieur (-e) *chartered engineer*
direkt *direct*
die DJH: Deutsche Jugendherbergen *German Youth Hostels Association*
doch *but, yes (word used for emphasis);* da möchte ich doch lieber Fisch essen *I think I'd rather have fish after all*
doof *stupid, foolish (slang)*
die Doppelkurve (-n) *double bend*
das Doppelzimmer (-) *double room*
das Dorf (¨er) *village*
dort *there;* dort vorn *down there*
dorthin *(to) there*
draufdrücken *to press on something*
draußen *outside*
drehen *to turn*
dreimal *three times*
dritten *third*
die Drogerie (-n) *chemist's shop (non-dispensing)*
drüben *over there*
drüber *about it/them*
du *you (familiar form)*
dumm *stupid*
durcharbeiten *to work through*
durchwählen *to dial direct*
dürfen *to be allowed*
die Dusche (-n) *shower*

E

der Edamer *Edam cheese*
die Ehe (-n) *marriage*
der Eiffelturm *Eiffel Tower*
eigen *own, of one's own*
eigentlich *really, actually*
einfach *simple, easy*
der Eingang (¨e) *entrance*
eingeladen *invited*
einkaufen *to go shopping*
die Einladung (-en) *invitation*
einmal *once;* noch einmal *again*
einpacken *to wrap*
eins *one*
einverstanden *agreed*
das Einzelzimmer (-) *single room*
die Eisdiele (-n) *ice-cream parlour*
eisern *wrought-iron*
die Eisspezialität (-en) *ice-cream flavour*
der Empfang (¨e) *reception*
die Empfangsdame (-n) *receptionist*
empfehlen *to recommend*
endlich *at last*
entfernt *distant*
entschuldigen: entschuldigen Sie bitte *excuse me please*
die Entstehung (-en) *founding*
entwickeln *to develop*
erbeten *requested*
die Erdbeere (-n) *strawberry*
das Erdgeschoß (-e) *ground floor*
das Ereignis (-se) *event*

der Erfolg (-e) *success*
erfolgreich *successful*
ernst *serious*
ernstgemeint *with serious intentions*
erst *only, not till;* am späten Abend erst *not until late in the evening*
ersten *first*
ertrinken *to drown*
erzählen *to relate*
essen *to eat*
das Essen (-) *meal*
die Etage (-n) *floor, storey*
etwa *approximately*
etwas *something;* etwas lauter *a bit louder;* so etwas *anything like that*
evangelisch *protestant*
eventuell *possibly*

F

der Facharzt (¨-e) *specialist*
fahren *to drive, to go (by means of transport), to take (by car)*
das Fahrrad (¨-er) *bicycle*
die Fahrt (-en) *journey*
das Fahrzeug (-e) *car, vehicle*
falsch *wrong*
der Familienbesitz *family ownership*
der Familienstand (¨-e) *marital status*
fängt: wann fängt die Vorstellung an? *when does the performance start?*
die Farbe (-n) *colour*
der Farbfernseher (-) *colour television*
der Farbfilm (-e) *colour film*
fast *almost*
faulenzen *to laze around*
die FDP: Freie Demokratische Partei *Free Democratic Party*
Feierabend: ich habe um sechzehn Uhr Feierabend *I finish work at 4 p.m.*
das Fenster (-) *window*
die Ferien (pl.) *holidays*
die Ferienwohnung (-en) *holiday residence*
das Fernmeldewesen *telecommunications*
der Fernsehapparat (-e) *television set*
das Fernsehen *television*
fernsehen *to watch television*
der Fernseher (-) *television set*
das Fernsehspiel (-e) *television play*
fertig *ready*
filmen *to make films*
finden *to find*
die Fleischerei (-en) *butcher's shop*
fliegen *to fly*
fließend *running*
das Flugzeug (-e) *aeroplane*
die Forelle (-n) *trout*
die Frage (-n) *question*
fragen *to ask*

das Franziskaner *brand of Munich beer*
die Frau (-en) *woman, wife, Mrs.*
frei *free, vacant*
Freien: im Freien *in the open*
die Freizeit *spare time*
fremd *strange, foreign;* ich bin hier fremd *I'm a stranger here*
der Fremdenverkehr *tourist industry*
das Fremdenverkehrsamt (¨-er) *tourist office*
der Fremdenverkehrsverband (¨-e) *tourist board*
der Fremdenverkehrsverein (-e) *tourist association*
das Fremdenzimmer (-) *room with bed and breakfast*
freuen: ich freue mich *I'm looking forward to it;* ich würde mich sehr freuen *I would be very happy*
der Freund (-e) *friend*
die Freundin (-nen) *girlfriend*
freundlichen: mit freundlichen Grüßen *Yours sincerely (lit.: with best wishes)*
der Frieden *peace*
frisch *fresh*
der Friseur (-e) *hairdresser, barber*
froh *happy*
früh *early*
früher *formerly, earlier, before*
der Frühschoppen *morning pint*
das Frühstück *breakfast*
die Frühstückspause (-n) *breakfast break*
der Frühstücksraum (¨-e) *breakfast room*
fühle: ich fühle mich zu jung *I think I'm too young*
führen *to run, direct*
der Führerschein (-e) *driving licence*
für *for*
der Fuß (¨-e) *foot:* zu Fuß *on foot*
der Fußball *football*
das Fußballspiel (-e) *football match*
der Fußgängertunnel (-) *pedestrian subway*
die Fußgängerzone (-n) *pedestrian precinct*

G

ganz *very, quite, whole, all*
ganzen: im ganzen *in all*
gar: gar nicht *not at all;* gar nichts *nothing at all*
die Garderobe (-n) *cloakroom*
garni: Hotel garni *hotel serving only breakfast*
der Gast (¨-e) *guest*
der Gastarbeiter (-) *immigrant worker*
der Gasthof (¨-e) *hotel, restaurant*
gearbeitet:
gebastelt *made (as a hobby)*
das Gebäude (-) *building*
gebaut *built*

geben *to give*
gebohnert *polished*
geboren: ich bin geboren *I was born*
gebrochen *broken*
gebunden *restricted, tied*
der Geburtstag (-e) *birthday*
gedreht *made, shot (a film)*
geehrte: Sehr geehrte Herren! *Dear Sirs,*
die Gefahrenstelle (-n) *danger spot*
gefällt: wie gefällt Ihnen . . . ? *how do you like . . . ?*
geflogen: wir sind geflogen *we flew*
gefroren: ich habe gefroren *I got cold*
gefrühstückt *had breakfast*
gefunden *found*
gegangen: Sie sind über die Straße gegangen *you crossed the street*
gegen *against*
gegenüber *opposite*
der Gegenverkehr *oncoming traffic*
gegründet *founded*
gehabt: haben Sie . . . gehabt? *have you had . . . ?*
geheiratet: wir haben geheiratet *we got married*
gehen *to go (on foot)*
gehört: wir haben . . . gehört *we heard . . .*
geht: das geht *that's all right;* wie geht es Ihnen? *how are you?*
gekocht *made (coffee)*
das Geld *money*
gemacht *made*
gemeinsam *common, joint*
gemietet *booked*
das Gemüse (-) *vegetable*
genau *exactly*
genug *enough*
geöffnet *open*
das Gepäck *luggage*
gerade *just, particularly*
geradeaus *straight ahead*
gern, gerne *of course, gladly;* ich spiele gern *I like playing*
gerötet *inflamed*
das Gersterbrot (-e) *kind of bread*
der Gesangverein (-e) *choral society*
das Geschäft (-e) *shop*
der Geschäftsführer (-) *general secretary*
das Geschenk (-e) *present*
die Geschichte (-n) *story*
geschieden *divorced*
geschlafen *slept*
geschlossen *closed*
geschrieben: früher hat man ihn immer falsch geschrieben *people used to keep spelling it wrongly*
die Geschwister (pl.) *brother(s) and sister(s)*
gesehen *seen*
gestern *yesterday*
geübt: habe ich genug geübt? *have I practised enough?*
gewählt *chosen, elected*
das Gewehr (-e) *gun, rifle*
die Gewerkschaft (-en) *trade union*
gewöhnlich *usually*
gewonnen *won*
gewußt: das habe ich nicht gewußt *I didn't know that*
gibt: es gibt *there is, there are*
die Gitarre (-n) *guitar*
glauben *to think, believe*
gleich *immediately:* bis gleich *I'll be down right away;* gleich am Eingang *just by the entrance*
das Glück *luck;* Sie haben Glück *you're in luck*
das Golf *golf*
der Golfplatz (¨-e) *golf course*
das Göttinger Edelpils *a high quality beer brewed in Göttingen*
das Gramm *gramme*
grau *grey*
das Graubrot (-e) *bread made of rye and wheat*
die Größe (-n) *size*
grün *green*
der Gruß (¨-e) *greeting;* mit freundlichen Grüßen *Yours sincerely*
grüßen *to give someone one's regards*
gucken *to look;* guck mal! *just look!*
günstigsten: am günstigsten *best*
gut *good, well*
das Gymnasium (-ien) *grammar school*

H

haben *to have*
halb, halbe *half;* halb acht *half past seven*
das Hallenbad (¨-er) *indoor swimming pool*
die Halskrankheit (-en) *throat disorder*
handarbeiten *to do needlework*
der Handschuh (-e) *glove*
der Handwerker (-) *craftsman, artisan*
Hannover *Hanover*
hätte: ich hätte gerne . . . *I should like . . .*
hatten: hatten Sie . . .? *did you have . . . ?*
hätten: hätten Sie lieber . . . ? *would you prefer . . . ?*
häufig *often, frequently*
der Hauptkommissar (¨-e) *chief inspector*
die Hauptverkehrsstraße (-n) *main road*
das Haus (¨-er) *house;* zu Hause *at home;* nach Hause kommen *to get home*

die Hausfrau (-en) *housewife*
heiß *hot*
heißen *to be called, to mean*
heißt: das heißt *that means*
helfen *to help*
die Herbergsmutter (-) *lady warden (of youth hostel)*
herein *in, into*
herkommen *to come from;* wo kommen Sie her? *where do/have you come from?*
der Herr (-en) *man, Mr.*
herum: um das Rathaus herum *round the Town Hall*
herunterkommen *to come down*
hervorragend *excellent, outstanding*
herzlich *sincerely*
heute *today;* heute abend *this evening;* heute nachmittag *this afternoon*
die Hilfe (-n) *help*
die Himbeere (-n) *raspberry*
hin *there*
hinein *in, into*
hineinfahren *to drive in*
hinfahren *to go (there)*
hinter *behind*
die Hochspannung (-en) *high voltage*
höchstens *at the most*
die Hochzeit (-en) *wedding*
hoffen *to hope*
hoffentlich *I/we hope, hopefully*
das Holz (¨er) *wood*
hören *to hear, listen to*
die Hose (-n) *pair of trousers*
das Hotel (-s) *hotel*
hübsch *pretty, attractive*
humorvoll *with a sense of humour*
der Hunger *hunger, appetite;* ich habe Hunger *I'm hungry*

I

die Idee (-n) *idea*
ihm *(to/for) him/it*
ihn *him, it*
Ihnen *(to/for) you*
ihr *her, (to/for) her/it*
Ihr, Ihre, Ihrem, Ihren, Ihrer *your*
im *in the*
die Imbißstube (-n) *snack bar*
immer *always*
das Informationsheft (-e) *information booklet*
die Innenstadt (¨e) *town centre*
ins *into the, to the*
der Inter-City *Inter-City (train)*
das Interesse (-n) *interest*
interviewen *to interview*
der Interviewer (-) *interviewer (m.)*
die Interviewerin (-nen) *interviewer (f.)*

J

ja, *yes, really*
das Jahnsportfeld (-er) *Jahn memorial sportsground*
das Jahnstadion (-stadien) *Jahn memorial stadium*
das Jahr (-e) *year*
je: je später . . . *the later . . .*
jede, jeden, jeder, jedes *each, every*
jederzeit *at all times, always*
jetzt *now*
die Jugendherberge (-n) *youth hostel*
jung *young*
der Junge (-n) *boy*
jüngste *youngest*
die Justiz (-) *administration of the law;* bei der Justiz *at the County Court*

K

kalt *cold*
kann: das kann ich nicht *I can't do that*
die Kapelle (-n) *chapel, orchestra, band*
kaputt *broken*
die Karte (-n) *ticket, map, card*
der Käse (-) *cheese*
die Kasse (-n) *box office*
der Kassierer (-) *treasurer (m.)*
das Katenbrot (-e) *cottage loaf*
kaufen *to buy*
das Kaufhaus (¨er) *department store*
die Kegelbahn (-en) *skittle alley*
der Kegelklub (-s) *bowling club*
kein, keine, keinem, keinen *no, not any*
der Kellner (-) *waiter*
die Kellnerin (-nen) *waitress*
kennenlernen *to meet, get to know*
die Kerze (-n) *candle*
der *or* das Kilometer (-) *kilometre*
das Kind (-er) *child*
der Kinderball (¨e) *child's ball*
der Kinderplatz (¨e) *children's playground*
das Kinderprogramm (-e) *children's programme*
das Kinderspielzimmer (-) *children's playroom*
das Kino (-s) *cinema*
die Kirche (-n) *church*
der Kirchenvorstand (¨e) *church elders*
kirchlich *religious*
das Kissen (-) *cushion*
das Klavier (-e) *piano*
das Klebeband (¨er) *sticky tape*
das Kleid (-er) *dress*
klein *little, small;* kleiner *smaller*
das Kleingolf *mini-golf*
die Kleinstadt (¨e) *small provincial town*

klingen *to sound*
klug *clever*
der Knoblauch *garlic*
kochen *to cook*
das Kochen *cooking*
der Koffer (-) *suitcase*
der Kollege (-n) *colleague (m.)*
die Kollegin (-nen) *colleague (f.)*
kommen *to come;* ich komme nur ganz kurz vorbei *I'm just looking in for a moment;* wo kommen Sie her? *where do/have you come from?*
der Kommentar (-e) *commentary*
der Kommissar (-e) *inspector*
kommt: das kommt auf den Preis an *that depends on the price;* Herr Lange kommt in Salzburg an *Herr Lange arrives in Salzburg*
kompliziert *complicated*
die Konditorei (-en) *café, cake shop*
das Konferenzzimmer (-) *conference room*
können *to be able to*
könnten: könnten Sie . . . ? *could you . . . ?*
die Kontaktaufnahme (-n) *initial contact*
der Kopf (¨e) *head*
die Kopfschmerzen (pl.) *headache*
kosten *to cost*
kostenpflichtig *at owner's expense*
der Kraftfahrer (-) *driver, chauffeur*
krank *ill, sick*
der Krebs (-e) *crab*
die Kreissäge (-n) *circular saw*
das Kreuz (-e) *cross*
die Kreuzung (-en) *crossroads, intersection*
das Kreuzworträtsel *crossword puzzle*
kriegen *to get*
der Krimi (-s) *detective film*
die Kriminalserie (-n) *detective series*
die Küche (-n) *kitchen, cuisine*
der Kuchen (-) *cake, tart, flan*
kultiviert *cultured*
der Kunde (-n) *customer*
kurz *short, quickly, briefly*
küssen *to kiss*

L

das Land (¨er) *district, province, country;* auf dem Lande *in the country*
das Länderspiel (-e) *international match*
der Landesverkehrsverband (¨e) *regional tourist board*
der Landkreis (-e) *rural district*
lang, lange *long, for a long time*
langsamer *slower*
lassen *to leave, keep, to have (something) done*
die Last (-en) *load*
lästig *annoying, troublesome*
läuft: welcher Film läuft? *what film's on?*
laut *loud, noisy;* lauter *louder*
leben *to live*
die Lebensgefahr (-en) *danger (to life) mortal danger*
die Lebensmittelabteilung (-en) *food department*
der Lebenspartner (-) *companion*
lebt: man lebt *not bad (lit.: one's alive)*
ledig *unmarried, single*
die Legasthenietherapeutin (-nen) *remedial teacher*
der Lehrer (-) *teacher (m.)*
die Lehrerin (-nen) *teacher (f.)*
leid: es tut mir leid *I'm sorry*
leider *unfortunately*
der Leiter (-) *director, head*
lernen *to learn*
lesen *to read*
das Lesen (-) *reading*
letzt *last;* in letzter Zeit *recently;*
der Leuchter (-) *candle holder*
die Leute (pl.) *people*
lieber *rather, preferably;* ich möchte lieber Mokkatorte *I'd rather have coffee gâteau*
die Lieblingssendung (-en) *favourite programme*
liebsten: was machen Sie am liebsten? *what do you most like doing*
liegen *to lie, be situated*
die Liegewiese (-n) *rest area*
die Linie (-) *number (bus or tram)*
der Linienbus (-se) *country bus*
links *(to/on the) left*
lobenswert *commendable*
der Löwe (-n) *lion*
lügen *to lie, tell lies*
das Lustspiel (-e) *comedy*
das Luxus-Hotel (-s) *luxury hotel*
der Lymphknoten (-) *lymph node*

M

machen *to make, do;* das macht . . . *that comes to . . .;* das macht nichts *that doesn't matter*
das Mädchen (-) *girl*
das Magazin (-e) *magazine*
Mal; zum ersten Mal *for the first time*
mal *sometimes; (also a filler word:* kann ich diesen Prospekt mal mitnehmen?)
malen *to paint*
man *one, you*
manche *many*
der Mann (¨er) *man, husband*
der Männergesangverein (-e) *male choral society*

die Mannschaft (-en) *team*
die Marionette (-n) *puppet*
der Marktplatz (¨-e) *market place*
die Maus (¨-e) *mouse*
mehr *more;* nicht mehr *no longer, no more*
mehrere *several*
die Mehrwertssteuer *VAT*
mein, meine, meinen, meiner, meines *my*
meistens *mostly, usually*
die Mensa (-en) *university cafeteria*
der Mensch (-en) *person (pl. people)*
merken *to notice, realize*
das Metall (-e) *metal*
der *or* das Meter (-) *metre*
die Mettwurst (¨-e) *kind of liver sausage*
die Milch *milk*
das Mineralwasser *mineral water*
der Ministerpräsident *Prime Minister*
mir *(to/for) me*
mit *with*
mitbringen: was soll ich mitbringen? *what shall I get?*
der Mitfahrer (-) *passenger*
mitgehen *to go (with)*
mitgenommen: sie hat es mitgenommen *she took it with her*
mitkommen *to come (with)*
mitnehmen *to take along (with one)*
der Mittag *midday;* bis zum Mittag *until lunchtime*
das Mittagessen (-) *lunch, midday meal*
die Mittagspause (-n) *lunch break*
die Mitte (-n) *middle, centre;* Mitte 30 *mid-thirties*
möchte: ich möchte . . . *I'd like . . .*
möchten: möchten Sie . . .? *would you like . . .?*
das Modejournal (-s) *fashion magazine*
das Modellbauen *model-making*
die Modelleisenbahn (-en) *model railway*
der Moderator *presenter (m.)*
die Moderatorin (-nen) *presenter (f.)*
möglich *possible*
die Mokkatorte (-n) *mocha or coffee gâteau*
momentan *at the moment*
Momentchen *just a moment!*
der Monat (-e) *month*
der Mord (-e) *murder*
morgen *tomorrow;* morgen nachmittag *tomorrow afternoon*
morgens *in the morning*
Morgenstunden: bis in die frühen Morgenstunden *until the early hours of the morning*
der Motor (-en) *engine*
die Mühe (-n) *trouble, difficulty*
München *Munich*
der Mund (¨-er) *mouth*
das Museum (Museen) *museum*
die Musiksendung (-en) *music programme*
muß: muß das sein? *do I have to?*
müssen *to have to, to be obliged to*
mußten: mußten Sie . . .? *did you have to . . .?*
die Mutter (¨) *mother*
Mutti *mummy*

N

na *well*
nach *to, after*
der Nachbar (-n) *neighbour (m.)*
nachdem *after*
der Nachmittag (-e) *afternoon*
nachmittags *in the afternoon*
die Nachrichten (pl.) *news (radio, TV)*
nachschauen *to look up;* ich schaue mal nach *I'll just look it up*
nächste, nächsten, nächstes *next*
die Nacht (¨-e) *night*
der Nagel (¨) *nail*
die Näharbeit (-en) *sewing, needlework*
die Nähe *neighbourhood;* in der Nähe *nearby*
nähen *to sew*
näher *closer, nearer*
die Nase (-n) *nose*
die Nasenkrankheit (-en) *nose complaint*
das Nasenloch (¨-er) *nostril*
der Nasentropfen (-) *nose drop*
natürlich *naturally, of course, natural, unaffected*
neben *next to*
nehmen *to take;* wir nehmen gerne an *we will be happy to accept*
nett *nice, pleasant*
neu *new*
die Nichtraucherin (-nen) *non-smoker (f.)*
nichts *nothing;* das macht nichts *that doesn't matter*
nie *never*
Niedersachsen *Lower Saxony*
nimmt: nimmt Kontakt zu mir auf *would like to get in touch with me*
noch *also, still, yet, another;* noch einmal *again*
nochmal *again*
der Norden *north*
normal *straightforward, uneventful*
normalerweise *usually*
die Null *nil*
nun *now*
nur *only, just*
die Nuß (Nüsse) *nut*

O

ob *whether*
oben *above*
der Obstkuchen (-) *fruit tart*
öffentlich *public, civil, state*
öffnen *to open*
die Öffnungszeit (-en) *opening time*
ohne *without*
das Ohr (-en) *ear*
die Ohrenkrankheit (-en) *ear complaint*
Ordnung: (das geht) in Ordnung *(that's) OK*
der Ort (-e) *place*
der Ortsprospekt (-e) *publicity leaflet on a locality*
Ostasien *Eastern Asia*
Österreich *Austria*
östlich *east;* östlich von *east of*

P

das Paket (-e) *packet*
das Papiergeschäft (-e) *stationer's shop*
parken *to park*
der Parkplatz (¨-e) *car park*
die Parkscheibe (-n) *parking disc*
die Partnerin (-nen) *partner (f.)*
die Party (Parties) *party*
passen *to suit, fit, be convenient*
die Pause (-n) *break, interval*
die Pension (-en) *boarding-house*
der Pfadfinder (-) *Boy Scout*
der Pfennig (-e) *pfennig (1/100 of a Mark)*
das Pferd (-e) *horse*
die Philippinen *Philippines*
die Pistazie (-n) *pistachio (nut)*
der Platz (¨-e) *seat;* Platz nehmen *to sit down*
der Politiker (-) *politician*
die Polizei *police*
der Polizeiobermeister (-) *police inspector*
der Polterabend (-e) *pre-wedding celebration*
das Portemonnaie (-s) *purse*
die Portion (-en) *portion, helping*
der Posaunenchor (¨-e) *brass band*
die Position (-en) *situation*
das Postamt (¨-er) *post office*
das Postwesen *postal service*
die Praxis *surgery*
der Preis (-e) *price*
die Preisangabe (-n) *price quotation;* unter Preisangabe *stating the tariff*
prima! *great! super!*
das Privatleben *private life*
das Programm (-e) *programme, channel*
der Prospekt (-e) *booklet, brochure, leaflet*
der Pulverkaffee *instant coffee*
pünktlich *punctual, punctually*
die Puppe (-n) *doll*

R

der Rachen (-) *throat*
der Radfahrer (-) *cyclist*
der Ratgeber (-) *advisor*
das Rathaus (¨-er) *town hall*
Räuber: "Die Räuber" *"The Highwaymen" (play by Schiller)*
rauchen *to smoke*
die Rauchentwöhnungskur (-en) *course of treatment for smoking withdrawal*
die Raucherin (-nen) *smoker (f.)*
der Rauchmuffel *lit.: smoke-hater.* Ein Muffel *is someone who is set in his ways and makes no concessions to others e.g.* ein Krawattenmuffel *takes no notice of fashion and wears the same style of ties – and thus clothes – all his life.*
der Raum (¨-e) *room, area*
rechtlich *legal*
rechts *(to/on the) right*
der Redaktionsschluß (¨-sse) *press date*
regelmäßig *regularly*
regnen *to rain*
reich *rich*
das Reich (-e) *kingdom, empire*
rein *in, into (short for* herein)
reinigen *to clean;* ich muß mein Kleid reinigen lassen *I must have my dress cleaned*
die Reise (-n) *journey, trip*
der Reisende (-n) *traveller*
der Reiseprospekt (-e) *travel brochure*
das Reisebüro (-s) *travel agency*
die Reisegesellschaft (-en) *travel company*
reiten *to ride*
die Reitpension (-en) *riding-school*
das Reitpferd (-e) *saddle-horse*
reparieren *to repair*
reservieren *to book*
die Reservierung (-en) *reservation*
respektieren *to respect*
das Rezept (-e) *prescription*
richtig *correct, right*
die Richtung (-en) *direction*
riechen *to smell*
das Roggenbrot (-e) *rye bread*
das Rote Kreuz *Red Cross*
die Rotkreuzhelferin (-nen) *Red Cross attendant (f.)*
rüber *across, over (short for* herüber)
rübertragen *to take in/across (short for* herübertragen*)*
die Rückfahrkarte (-n) *return ticket*
ruft: Gerda ruft Manfred an *Gerda rings up Manfred*

die Ruhe: in Ruhe *in peace and quiet*
ruhig *peaceful, quiet;* versuchen Sie es ruhig *have a try*
rund *round*
die Rundfunkanstalt (-en) *broadcasting organisation*
runter *down (short for* herunter*)*
russisch *Russian*

S

sagen *to say, to tell*
die Sahne *cream*
sammeln *to collect*
das Sauerkraut *sauerkraut, pickled cabbage*
das Schach *chess*
schade *pity*
schadhaft *defective*
scharmant *charming*
schauen *to look;* schau mal *just look;* ich schaue mal nach *I'll look it up*
schicken *to send*
schießen *to shoot*
das Schild (-er) *notice, sign*
der Schirm (-e) *umbrella*
schlafen *to sleep*
das Schlafen *sleep*
der Schlager (-) *pop song/tune*
schlank *slim*
schlecht *bad*
schließlich *finally*
der Schlüssel (-) *key*
das Schmalfilmen *making cine films*
schmecken *to taste*
schmerzen *to be painful*
der Schmetterling (-e) *butterfly*
der Schnarcher (-) *snorer*
schneien *to snow*
schnell *fast, quick;* schneller *faster*
schnellsten: am schnellsten *fastest*
der Schnellzug (¨e) *express train*
der Schnupfen (-) *cold*
die Schokolade (-n) *chocolate*
schon *already, (often a filler word);* schon um 7 Uhr? *as early as 7 a.m.?*
schon lange *for a long time*
schön *beautiful, nice;* schöner *more beautiful, nicer*
schönste *most beautiful, nicest*
schreiben *to write*
das Schreiben (-) *writing*
der Schuh (-e) *shoe*
der Schuhmacher (-) *cobbler, shoemaker*
die Schule (-n) *school*
die Schulferien (pl.) *school holidays*
der Schütze (-n) *shot, marksman*
der Schützenverein (-e) *rifle club*
der Schutzhelm (-e) *safety-helmet*
die Schutzpolizei (-en) *police*
Schwaben *Swabia (in South Germany)*
schwarz *black*
die Schwarzwälder Kirschtorte *'Black Forest' cherry gâteau*
schwebend *dangling, hanging, suspended*
die Schweiz *Switzerland*
schwer *heavy, difficult*
schwerhörig *deaf, hard of hearing*
die Schwester (-n) *sister*
die Schwierigkeit (-en) *difficulty*
das Schwimmbad (¨er) *swimming pool*
schwimmen *to swim*
die See (-n) *sea*
segeln *to sail*
sehen *to see;* sehen Sie *look;* sehen Sie gern fern? *do you like watching television?*
sehr *very, very much*
sein *to be*
sein, seine, seinen *his*
seit *since;* seit 10 Jahren *for 10 years*
die Seite (-n) *side;* auf der linken Seite *on the left-hand side*
die Seitenstraße (-n) *side-street*
die Sekretärin (-nen) *secretary (f.)*
selbst *self;* sie hat auch selbst vier Kinder *she also has four children of her own*
die Selbsthilfe *self-help*
selbständig *(of) independent (means)*
selbstverständlich *of course, certainly, taken for granted*
selten *rarely*
die Sendung (-en) *programme*
senkrecht *vertical, down*
sicher *certainly, sure*
die Sicherheit (-en) *safety*
sind *are*
das Singen *singing*
sitzen *to sit*
der Sitzplatz (¨e) *seat*
der Ski: Ski fahren *to ski*
Skilaufen *to ski*
so *so, like this;* so etwas *anything like that;* so ein . . . *such a . . ., a . . . like that/of that kind*
der Sohn (¨e) *son*
solcher: ein solcher Film *a film like that*
soll: was soll ich mitbringen? *what shall I get?* soll sie . . . ? *should she . . .?* ich soll . . . *I'm supposed . . .*
der Sommer (-) *summer*
die Sonne (-n) *sun*
sonst *otherwise, or else;* sonst noch etwas? *anything else?;* was sonst noch? *what else?*

die Sorte (-n) *sort, kind*
die Soße (-n) *sauce, gravy*
soviel *as far as*
der Spaß (-̈e) *joke, fun;* Spaß haben *to enjoy, have/find fun*
spät *late;* später *later;* wie spät ist es? *what's the time?*
spazierengehen *to go for a walk/walks*
die SPD: Sozialdemokratische Partei Deutschlands *German Social-Democratic Party*
das Spiel (-e) *match, game*
spielen *to play*
sportlich *athletic*
die Sportschau (-en) *sports review*
die Sportsendung (-en) *sports programme*
die Sprache (-n) *language*
sprechen *to speak*
der Sprecher (-) *commentator*
spricht *talks, speaks*
die Sprosse (-n) *rung (of a ladder)*
spüren *to feel*
Staaten: die Vereinigten Staaten *United States*
die Stadthalle (-n) *municipal concert hall*
der Stadtrand (-̈er) *town outskirts, suburbs*
der Stammtisch (-e) *table reserved for regular guests, regular gathering of friends at café, pub, etc.*
das Standesamt (-̈er) *registry office*
stark *strong, severe*
der Stecker (-) *plug*
stehen *to stand;* schau mal, was hier steht *look what it says here*
die Stelle (-n) *place*
das Steuer (-) *steering-wheel*
sticken *to embroider*
stimmt: das stimmt *that's right;* das stimmt nicht *that's not true*
die Strafe (-n) *fine*
die Straßenbahn (-en) *tram*
das Streichholz (-̈er) *match*
der Streifendienst (-e) *police patrol, work 'on the beat'*
streng *strictly*
stricken *to knit*
das Stück (-e) *piece*
das Stückchen (-) *piece*
studieren *to study*
die Stunde (-n) *hour;* 50 km in der Stunde *50 k.p.h.*
suchen *to look for*
Süddeutschland *South of Germany*
südlich (von) *(to the) south (of)*
die Szene (-n) *scene, shot*

T

die Tablette (-n) *pill*
der Tag (-e) *day;*
die Tagesschau (-en) *Review of the Day*
täglich *daily*
die Tankstelle (-n) *petrol station*
tanzen *to dance*
das Tarifwesen *wage negotiations*
die Tasche (-n) *bag, handbag*
die Tasse (-n) *cup*
tätig *engaged, employed*
das Taxi (-s or Taxen) *taxi*
der Taxifahrer (-) *taxi driver*
der Tee *tea*
der Teilnehmer (-) *participant*
teils *in part, partly*
telefonieren *to telephone*
telefonisch *by telephone*
die Telefonnummer (-n) *telephone number*
die Telefonzelle (-n) *telephone kiosk*
der Tennisplatz (-̈e) *tennis court*
die Theaterkarte (-n) *theatre ticket*
die Theaterkasse (-n) *theatre box-office*
das Theaterstück (-e) *play, drama*
das Thema (Themen) *subject*
das Tier (-e) *animal*
der Tisch (-e) *table*
die Tochter (-̈) *daughter*
die Tonbandaufnahme (-n) *tape recording*
das Tonfilmen *making amateur sound films*
die Torte (-n) *cake, gâteau*
tragen *to wear*
trat *entered*
die Trauung (-en) *wedding ceremony*
treffen: sich treffen *to meet;* wo treffen wir uns? *where shall we meet?*
die Treppe (-n) *staircase*
trimm: Trimm Dich *keep fit*
trinken *to drink*
trotzdem *nevertheless*
die Tschechoslowakei *Czechoslovakia*
tun *to do*
die Tür (-en) *door*
tut: es tut mir leid *I'm sorry;* das tut besonders weh *that's particularly painful*

U

üben *to practise*
überall *everywhere*
über *over, across, about, via*
der Überblick (-e) *survey*
überhaupt: überhaupt nicht *not at all*
überholen *to overtake*
übermorgen *the day after tomorrow*
übernachten *to stay overnight*
die Übung (-en) *exercises*
Uhr: um sechs Uhr *at six o'clock*
um *round, around;* um 6 Uhr *at six o'clock;* um zu arbeiten *in order to*

to work; um . . . herum *around . . .*
die Umgebung (-en) *surroundings, neighbourhood*
umsteigen *to change*
unbequem *uncomfortable*
unentbehrlich *indispensible*
ungefähr *approximately*
ungesund *unhealthy*
uns *(to/for) us, ourselves;* wo treffen wir uns? *where shall we meet?*
unser, unsere, unserem, unserer *our*
unter *under*
die Unterbringung (-en) *accommodation*
untergebracht: wie sind Sie untergebracht? *what's your accommodation like?*
die Unterkunftsmöglichkeit (-en) *accommodation available*
das Unterkunftsverzeichnis (-se) *accommodation list*
unternehmungslustig *adventurous, enterprising*
unterrichten *to teach*
unterschiedlich *different, variable*
unterwegs *on the way;* wie lange waren Sie unterwegs? *how long did the journey take?*
der Urlaub (-e) *holiday, leave*
die Urlaubsreise (-n) *holiday trip*
der Urlaubstag (-e) *day of leave*

V

der Vater (¨) *father*
verbinden *to combine*
verbindlichem: mit verbindlichem Dank *many thanks*
verboten: Rauchen verboten *no smoking*
verbringen *to spend (time)*
der Verein (-e) *association, club*
Vereinigten: die Vereinigten Staaten *United States*
verführen *to tempt, seduce*
vergessen *to forget;* ich habe . . . vergessen *I've forgotten . . .*
verheiratet *married*
verkaufen *to sell*
die Verkäuferin (-nen) *shop assistant (f.)*
der Verkehr *traffic, communication*
der Verkehrsdienst (-e) *Traffic Department*
die Verkehrspolizei (-en) *traffic police*
der Verkehrsverein (-e) *tourist office*
das Verkehrszeichen (-) *road sign*
verlassen *to leave*
verlobt *engaged*
die Verlobte (-n) *fiancée*
verloren: ich habe . . . verloren *I've lost . . . .*
die Verspätung (-en) *delay;* der Zug hat Verspätung *the train is late*
verstehen *to understand*
versuchen *to try;* versuchen Sie es ruhig *have a try*
das Verzeichnis (-se) *list*
viel *much, a great deal, a lot*
vielleicht *perhaps*
das Viertel (-) *quarter*
die Viertelstunde *quarter of an hour*
vierten *fourth*
das Volkslied (-er) *folk song*
voll *full*
das Vollkornbrot (-e) *rye bread*
volltanken *to fill up (petrol tank)*
der Volontär (-e) *volunteer*
von *from, of, by*
vor *in front of, before*
voraussichtlich *probably*
vorbeikommen *to call in;* ich komme nur ganz kurz vorbei *I'm just looking in for a moment*
die Vorbereitung (-en) *preparation*
vorhaben *intend, plan;* was haben Sie vor? *do you have anything planned?*
der Vormittag (-e) *morning*
vormittags *in the mornings*
vorn: dort vorn *down there*
vorne: da vorne *over there*
die Vorschau (-en) *trailer, preview*
die Vorsicht *caution;* Vorsicht! *be careful!*
die Vorstellung (-en) *performance*
der Vorstellungstag (-e) *day of the performance*

W

waagerecht *horizontal, across*
die Waffe (-n) *weapon*
der Wagen (-) *car*
wahr: nicht wahr? *isn't that so?*
während *during*
wahrscheinlich *probably*
die Wanderung (-en) *walk, hike*
warten *to wait*
warum? *why?*
was für . . .? *what kind of . . .?*
was ist? *what's the matter?*
was *anything, something (short for* etwas*)*
die Wäscherei (-en) *dry cleaner's, laundry*
das Wasser *water*
das WC *toilet*
der Weg (-e) *way, path*
der Wegweiser (-) *signpost*
weh *painful;* mir tun die Zähne weh *my teeth hurt*
die Weihnachten (pl.) *Christmas*
die Weihnachtsferien (pl.) *Christmas holidays*

der Wein (-e) *wine*
weiß: das weiß ich nicht *I don't know*
weit *wide, far, distant*
weiterarbeiten: weiterarbeiten an . . . *to continue working on . . .*
weiterfahren *to travel on/further*
das Weizenbrot (-e) *wheat loaf*
welche? welchen? welcher? welches? *which?*
die Welt *world;* aus aller Welt *from all parts of the world*
wen *whom*
wenig *few;* weniger *less, fewer;* ein wenig *a bit*
wenn *if, when, whenever*
wer? *who?*
werden *to become;* Fahrzeuge werden abgeschleppt *vehicles will be towed away*
der Westen *west*
das Wetter *weather*
widerrechtlich *illegally*
wie? *how?;* wie bitte? *I beg your pardon?;* wie spät ist es? *what's the time?*
wieder *again;* Sie müssen um 14 Uhr wieder da sein *you have to be back by 2 o'clock*
wiedergewählt *re-elected*
Wiederhören: Auf Wiederhören! *Goodbye! (on phone)*
(Auf) Wiederschauen! *Goodbye!*
wiedersehen *to see again;* Auf Wiedersehen! *Goodbye!*
Wien *Vienna*
wieviel? *how many?*
will: ich will . . . *I want/intend to . . .*
wirklich *really*
das Wirtshaus (¨er) *pub, inn*
wissenswert *worth knowing*
die Witwe (-n) *widow*
der Witwer (-) *widower*
die Woche (-n) *week*
das Wochenende (-n) *weekend*
die Wochenendausflugskarte (-n) *weekend excursion ticket*
der Wochenspiegel (-) *Mirror of the Week*
woher? *where from?*
wohin? *where to*
wohl *likely, probably*
wohnen *to live, stay*
die Wohnung (-en) *flat*
das Wohnzimmer (-) *living room*
wollen *to want to*
das Wort (¨er) *word*
wunderschön *very lovely*
der Wunsch (¨e) *wish*
wünschen *to wish*
wurde: wurde er gewählt *he was elected*
würde: ich würde sagen . . . *I'd suggest . . .* das würde mir passen *that would suit me;* ich würde mich freuen *I would be very happy*
die Wurst (¨e) *sausage*
das Wurstbrot (-e) *(open) sandwich with sliced sausage*

Z

zahlen *to pay*
der Zahn (¨e) *tooth*
der Zahnarzt (¨e) *dentist*
die Zahnschmerzen (pl.) *toothache*
der Zebrastreifen (-) *zebra crossing*
zeigen *to show*
die Zeit (-en) *time;* von Zeit zu Zeit *from time to time;* zur Zeit *at the moment*
die Zeitung (-en) *newspaper*
ziemlich *fairly, rather*
die Zigarette (-n) *cigarette*
das Zimmer (-) *room*
zirka *approximately*
die Zitrone (-n) *lemon*
die Zonengrenze *frontier, border (with DDR)*
zu *to, too;* zu Fuß *on foot;* zu Hause *at home;* zu schnell *too fast*
der Zucker *sugar*
zuerst *first (of all)*
zufrieden *satisfied, happy*
der Zug (¨e) *train*
zugesagt: . . . hatten noch nicht zugesagt *. . . had not yet agreed (to appear)*
zum *to the;* zum kalten Büfett *for a cold supper*
zur *to the*
zurück *back*
zurückkommen *to come back*
zusammen *together, altogether*
die Zuschrift (-en) *letter, reply*
zwar *in fact*
zwecks *with . . . in view*
zweimal *twice*
zweites *second*
der Zwetschgenkuchen (-) *damson flan*
zwischen *between*